JARDÍN UMBRÍO

COLECCIÓN AUSTRAL
N.º 555

RAMÓN DEL VALLE-INCLÁN

JARDÍN UMBRÍO

HISTORIAS DE SANTOS, DE ALMAS EN PENA, DE DUENDES Y DE LADRONES

QUINTA EDICIÓN

ESPASA-CALPE, S. A.
MADRID

Ediciones especialmente autorizadas por los herederos del autor para la

COLECCIÓN AUSTRAL

Primera edición: 28 - I   - 1946
Segunda edición: 30 - XI - 1960
Tercera edición: 17 - XI - 1967
Cuarta edición: 31 - III - 1975
Quinta edición: 18 - IV - 1979

© *Carlos del Valle-Inclán Blanco, 1903*

—

Depósito legal: M. 12.912—1979

ISBN 84—239—0555—1

Impreso en España
Printed in Spain

Acabado de imprimir el día 18 de abril de 1979

Talleres gráficos de la Editorial Espasa-Calpe, S. A.
Carretera de Irún, km. 12,200. Madrid-34

ÍNDICE

Tenía mi abuela una doncella muy vieja que se llamaba Micaela la Galana. Murió siendo yo todavía niño. Recuerdo que pasaba las horas hilando en el hueco de una ventana, y que sabía muchas historias de santos, de almas en pena, de duendes y de ladrones. Ahora yo cuento las que ella me contaba, mientras sus dedos arrugados daban vueltas al huso. Aquellas historias de un misterio candoroso y trágico, me asustaron de noche durante los años de mi infancia y por eso no las he olvidado. De tiempo en tiempo todavía se levantan en mi memoria, y como si un viento silencioso y frío pasase sobre ellas, tienen el largo murmullo de las hojas secas. ¡El murmullo de un viejo jardín abandonado! Jardín Umbrío.

JUAN QUINTO

Micaela la Galana contaba muchas historias de
Juan Quinto, aquel bigardo que, cuando ella era
moza, tenía estremecida toda la Tierra de Salnés.
Contaba cómo una noche, a favor del oscuro, entró
a robar en la Rectoral de Santa Baya de Cristamilde.
La Rectoral de Santa Baya está vecina de la iglesia,
en el fondo verde de un atrio cubierto de sepulturas
y sombreado de olivos. En este tiempo de que hablaba Micaela, el rector era un viejo exclaustrado, buen
latino y buen teólogo. Tenía fama de ser muy adi-
nerado, y se le veía por las ferias chalaneando caballero en una yegua tordilla, siempre con las alforjas
llenas de quesos. Juan Quinto, para robarle, había
escalado la ventana, que en tiempo de calores solía
dejar abierta el exclaustrado. Trepó el bigardo ga-
teando por el muro, y cuando se encaramaba sobre
el alféizar con un cuchillo sujeto entre los dientes.
vio al abad incorporado en la cama y bostezando.
Juan Quinto saltó dentro de la sala con un grito
fiero, ya el cuchillo empuñado. Crujieron las tablas
de la tarima con ese pavoroso prestigio que comuni-
ca la noche a todos los ruidos. Juan Quinto se acercó
a la cama, y halló los ojos del viejo frailuco abiertos
y sosegados que le estaban mirando:

—¿Qué mala idea traes, rapaz?

El bigardo levantó el cuchillo:

—La idea que traigo es que me entregue el dinero que tiene escondido, señor abad.

El frailuco rió jocundamente:

—¡Tú eres Juan Quinto!

—Pronto me ha reconocido.

Juan Quinto era alto, fuerte, airoso, cenceño. Tenía la barba de cobre, y las pupilas verdes como dos esmeraldas, audaces y exaltadas. Por los caminos, entre chalanes y feriantes, prosperaba la voz de que era muy valeroso, y el exclaustrado conocía todas las hazañas de aquel bigardo que ahora le miraba fijamente, con el cuchillo levantado para aterrorizarle:

—Traigo priesa, señor abad. ¡La bolsa o la vida!

El abad se santiguó:

—Pero tú vienes trastornado. ¿Cuántos vasos apuraste, perdulario? Sabía tu mala conducta, aquí vienen muchos feligreses a dolerse... ¡Pero, hombre, no me habían dicho que fueses borracho!

Juan Quinto gritó con repentina violencia:

—¡Señor abad, rece el Yo Pecador!

—Rézalo tú, que más falta te hace.

—¡Que le siego la garganta! ¡Que le pico la lengua! ¡Que le como los hígados!

El abad, siempre sosegado, se incorporó en las almohadas:

—¡No seas bárbaro, rapaz! ¡Qué provecho iba a hacerte tanta carne cruda!

—¡No me juegue de burlas, señor abad! ¡La bolsa o la vida!

—Yo no tengo dinero, y si lo tuviese tampoco iba a ser para ti. ¡Anda a cavar la tierra!

Juan Quinto levantó el cuchillo sobre la cabeza del exclaustrado:

—Señor abad, rece el Yo Pecador.

El abad acabó por fruncir el áspero entrecejo:

—No me da la gana. Si estás borracho, anda a dormirla. Y en lo sucesivo aprende que a mí se me debe otro respeto por mis años y por mi dignidad de eclesiástico.

Aquel bigardo atrevido y violento quedó callado un instante, y luego murmuró con la voz asombrada y cubierta de un velo:

—¡Usted no sabe quién es Juan Quinto!

Antes de responderle, el exclaustrado le miró de alto abajo con grave indulgencia:

—Mejor lo sé que tú mismo, mal cristiano.

Insistió el otro con impotente rabia:

—¡Un león!

—¡Un gato!

—¡Los dineros!

—No los tengo.

—¡Que no me voy sin ellos!

—Pues de huésped no te recibo.

En la ventana rayaba el día, y los gallos cantaban quebrando albores. Juan Quinto miró a la redonda, por la ancha sala donde el tonsurado dormía, y descubrió una gaveta:

—Me parece que ya di con el nido.

Tosió el frailuco:

—Malos vientos tienes.

Y comenzó a vestirse muy reposadamente y a rezar en latín. De tiempo en tiempo, a par que se santiguaba, dirigía los ojos al bandolero, que iba de un lado al otro cateando. Sonreía socarrón el frailuco y murmuraba a media voz, una voz grave y borbollona:

—Busca, busca. ¡No encuentro yo con el claro día, y has de encontrar tú a tentones!...

Cuando acabó de vestirse salió a la solana por
ver cómo amanecía. Cantaban los pájaros, estreme-
cíanse las yerbas, todo tornaba a nacer con el alba
del día. El abad gritóle al bigardo, que seguía cateando en la gaveta:

—Tráeme el breviario, rapaz.

Juan Quinto apareció con el breviario, y al to-
márselo de las manos, el exclaustrado le reconvino
lleno de indulgencia:

—¿Pero quién te aconsejó para haber tomado este
mal camino? ¡Ponte a cavar la tierra, rapaz!

—Yo no nací para cavar la tierra. ¡Tengo sangre
de señores!

—Pues compra una cuerda y ahórcate, porque para
robar tampoco sirves.

Con estas palabras bajó el frailuco las escaleras
de la solana, y entró en la iglesia para celebrar su
misa. Juan Quinto huyó galgueando a través de unos
maizales, pues se venía por los montes la mañana
y en la fresca del día muchos campanarios saludaban a Dios. Y fue en esta misma mañana ingenua
y fragante cuando robó y mató a un chalán en el
camino de Santa María de Meis. Micaela la Galana,
en el final del cuento, bajaba la voz santiguándose,
y con murmullo de su boca sin dientes recordaba
la genealogía de Juan Quinto:

—Era de buenas familias. Hijo de Remigio de Bealo, nieto de Pedro, que acompañó al difunto señor
en la batalla del Puente San Payo. Recemos un Pa-
drenuestro por los muertos y por los vivos.

LA ADORACIÓN DE LOS REYES

Vinde, vinde, Santos Reyes
Vereil, a joya millor,
Un meniño
Como un brinquiño,
Tan bunitiño,
Qu'á o nacer nublou o sol!

Desde la puesta del sol se alzaba el cántico de los pastores en torno de las hogueras, y desde la puesta del sol, guiados por aquella otra luz que apareció inmóvil sobre una colina, caminaban los tres Santos Reyes. Jinetes en camellos blancos, iban los tres en la frescura apacible de la noche atravesando el desierto. Las estrellas fulguraban en el cielo, y la pedrería de las coronas reales fulguraba en sus frentes. Una brisa suave hacía flamear los recamados mantos. El de Gaspar era de púrpura de Corinto. El de Melchor era de púrpura de Tiro. El de Baltasar era de púrpura de Menfis. Esclavos negros, que caminaban a pie enterrando sus sandalias en la arena, guiaban los camellos con una mano puesta en el cabezal de cuero escarlata. Ondulaban sueltos los corvos rendajes y entre sus flecos de seda temblaban cascabeles de oro. Los tres Reyes Magos cabalgaban en fila. Baltasar el Egipcio iba delante, y su barba luenga,

que descendía sobre el pecho, era a veces esparcida
sobre los hombros... Cuando estuvieron a las puertas de la ciudad arrodilláronse los camellos, y los
tres Reyes se apearon y despojándose de las coronas hicieron oración sobre las arenas.

Y Baltasar dijo:

—¡Es llegado el término de nuestra jornada!...

Y Melchor dijo:

—¡Adoremos al que nació Rey de Israel!...

Y Gaspar dijo:

—¡Los ojos le verán y todo será purificado en
nosotros!...

Entonces volvieron a montar en sus camellos y
entraron en la ciudad por la Puerta Romana, y guiados por la estrella llegaron al establo donde había
nacido el Niño. Allí los esclavos negros, como eran
idólatras y nada comprendían, llamaron con rudas
voces:

—¡Abrid!... ¡Abrid la puerta a nuestros señores!

Entonces los tres Reyes se inclinaron sobre los
arzones y hablaron a sus esclavos. Y sucedió que los
tres Reyes les decían en voz baja:

—¡Cuidad de no despertar al Niño!

Y aquellos esclavos, llenos de temeroso respeto,
quedaron mudos, y los camellos, que permanecían
inmóviles ante la puerta, llamaron blandamente con
la pezuña, y casi al mismo tiempo aquella puerta
de viejo y oloroso cedro se abrió sin ruido. Un anciano de calva sien y nevada barba asomó en el
umbral. Sobre el armiño de su cabellera luenga y
nazarena temblaba el arco de una aureola. Su túnica era azul y bordada de estrellas como el cielo de
Arabia en las noches serenas, y el manto era rojo,
como el mar de Egipto, y el báculo en que se apoyaba era de oro, florecido en lo alto con tres lirios

blancos de plata. Al verse en su presencia los tres Reyes se inclinaron. El anciano sonrió con el candor de un niño y franqueándoles la entrada dijo con santa alegría:

—¡Pasad!

Y aquellos tres Reyes, que llegaban de Oriente en sus camellos blancos, volvieron a inclinar las frentes coronadas, y arrastrando sus mantos de púrpura y cruzadas las manos sobre el pecho, penetraron en el establo. Sus sandalias bordadas de oro producían un armonioso rumor. El niño, que dormía en el pesebre sobre rubia paja centena, sonrió en sueños. A su lado hallábase la Madre, que le contemplaba de rodillas con las manos juntas. Su ropaje parecía de nubes, sus arracadas parecían de fuego, y como en el lago azul de Genezaret, rielaban en el manto los luceros de la aureola. Un ángel tendía sobre la cuna sus alas de luz, y las pestañas del Niño temblaban como mariposas rubias, y los tres Reyes se postraron para adorarle y luego besaron los pies del Niño. Para que no se despertase, con las manos apartaban las luengas barbas que eran graves y solemnes como oraciones. Después se levantaron, y volviéndose a sus camellos le trajeron sus dones: Oro, Incienso, Mirra.

Y Gaspar dijo al ofrecerle el Oro:

—Para adorarte venimos de Oriente.

Y Melchor dijo al ofrecerle el Incienso:

—¡Hemos encontrado al Salvador!

Y Baltasar dijo al ofrecerle la Mirra:

—¡Bienaventurados podemos llamarnos entre todos los nacidos!

Y los tres Reyes Magos despojándose de sus coronas las dejaron en el pesebre a los pies del Niño. Entonces sus frentes tostadas por el sol y los vien-

tos del desierto se cubrieron de luz, y la huella que
había dejado el cerco bordado de pedrería era una
corona más bella que sus coronas labradas en Oriente... Y los tres Reyes Magos repitieron como un
cántico:

— ¡Éste es!... ¡Nosotros hemos visto su estrella!

Después se levantaron para irse, porque ya rayaba el alba. La campiña de Belén, verde y húmeda,
sonreía en la paz de la mañana con el caserío de
sus aldeas disperso, y los molinos lejanos desapa-
reciendo bajo el emparrado de las puertas, y las
montañas azules y la nieve en las cumbres. Bajo
aquel sol amable que lucía sobre los montes iba por
los caminos la gente de las aldeas. Un pastor guiaba
sus carneros hacia las praderas de Gamalea; mujeres cantando volvían del pozo de Efraín con las án-
foras llenas; un viejo cansado picaba la yunta de
sus vacas, que se detenían mordisqueando en los
vallados, y el humo blanco parecía salir de entre
las higueras... Los esclavos negros hicieron arrodi-
llar los camellos y cabalgaron los tres Reyes Magos.
Ajenos a todo temor se tornaban a sus tierras, cuando fueron advertidos por el cántico lejano de una
vieja y una niña que, sentadas a la puerta de un
molino, estaban desgranando espigas de maíz. Y era
éste el cantar remoto de las dos voces:

Camiñade Santos Reyes
Por camiños desviados,
Que pol'os camiños reas
Herodes mandou soldados.

EL MIEDO

Ese largo y angustioso escalofrío que parece men-
sajero de la muerte, el verdadero escalofrío del miedo, sólo lo he sentido una vez. Fue hace muchos
años, en aquel hermoso tiempo de los mayorazgos,
cuando se hacía información de nobleza para ser
militar. Yo acababa de obtener los cordones de Caballero Cadete. Hubiera preferido entrar en la Guar-
dia de la Real Persona; pero mi madre se oponía,
y siguiendo la tradición familiar, fui granadero en
el Regimiento del Rey. No recuerdo con certeza los
años que hace, pero entonces apenas me apuntaba
el bozo y hoy ando cerca de ser un viejo caduco.
Antes de entrar en el Regimiento mi madre quiso
echarme su bendición. La pobre señora vivía retirada en el fondo de una aldea, donde estaba nuestro
pazo solariego, y allá fui sumiso y obediente. La
misma tarde que llegué mandó en busca del Prior de
Brandeso para que viniese a confesarme en la capilla del pazo. Mis hermanas María Isabel y María
Fernanda, que eran unas niñas, bajaron a coger rosas
al jardín, y mi madre llenó con ellas los floreros del
altar. Después me llamó en voz baja para darme
su devocionario y decirme que hiciera examen de
conciencia:

—Vete a la tribuna, hijo mío. Allí estarás mejor...

La tribuna señorial estaba al lado del Evangelio y comunicaba con la biblioteca. La capilla era húmeda, tenebrosa, resonante. Sobre el retablo campeaba el escudo concedido por ejecutorias de los Reyes Católicos al señor de Bradomín, Pedro Aguiar de Tor, llamado el Chivo y también el Viejo. Aquel caballero estaba enterrado a la derecha del altar. El sepulcro tenía la estatua orante de un guerrero. La lámpara del presbiterio alumbraba día y noche ante el retablo, labrado como joyel de reyes. Los áureos racimos de la vid evangélica parecían ofrecerse cargados de fruto. El santo tutelar era aquel piadoso Rey Mago que ofreció mirra al Niño Dios. Su túnica de seda bordada de oro brillaba con el resplandor devoto de un milagro oriental. La luz de la lámpara, entre las cadenas de plata, tenía tímido aleteo de pájaro prisionero como si se afanase por volar hacia el Santo. Mi madre quiso que fuesen sus manos las que dejasen aquella tarde a los pies del Rey Mago los floreros cargados de rosas, como ofrenda de su alma devota. Después, acompañada de mis hermanas, se arrodilló ante el altar. Yo, desde la tribuna, solamente oía el murmullo de su voz, que guiaba moribunda las avemarías; pero cuando a las niñas les tocaba responder, oía todas las palabras rituales de la oración. La tarde agonizaba y los rezos resonaban en la silenciosa oscuridad de la capilla, hondos, tristes y augustos, como un eco de la Pasión. Yo me adormecía en la tribuna. Las niñas fueron a sentarse en las gradas del altar. Sus vestidos eran albos como el lino de los paños litúrgicos. Ya sólo distinguía una sombra que rezaba bajo la lámpara del presbiterio. Era mi madre, que sostenía entre sus manos un libro abierto y leía con la cabeza inclinada. De tarde en tarde, el viento mecía la cortina de un alto ventanal. Yo entonces veía en el cielo, ya oscuro, la faz de la luna, pálida y sobrenatural como una diosa que tiene su altar en los bosques y en los lagos...

Mi madre cerró el libro dando un suspiro, y de nuevo llamó a las niñas. Vi pasar sus sombras blancas a través del presbiterio y columbré que se arrodillaban a los lados de mi madre. La luz de la lámpara temblaba con un débil resplandor sobre las manos que volvían a sostener abierto el libro. En el silencio la voz leía piadosa y lenta. Las niñas escuchaban, y adiviné sus cabelleras sueltas sobre la albura del ropaje y cayendo a los lados del rostro iguales, tristes, nazarenas. Habíame adormecido, y de pronto me sobresaltaron los gritos de mis hermanas. Miré y las vi en medio del presbiterio abrazadas a mi madre. Gritaban despavoridas. Mi madre las asió de la mano y huyeron las tres. Bajé presuroso. Iba a seguirlas y quedé sobrecogido de terror. En el sepulcro del guerrero se entrechocaban los huesos del esqueleto. Los cabellos se erizaron en mi frente. La capilla había quedado en el mayor silencio, y oíase distintamente el hueco y medroso rodar de la calavera sobre su almohada de piedra. Tuve miedo como no lo he tenido jamás, pero no quise que mi madre y mis hermanas me creyesen cobarde, y permanecí inmóvil en medio del presbiterio, con los ojos fijos en la puerta entreabierta. La luz de la lámpara oscilaba. En lo alto mecíase la cortina de un ventanal, y las nubes pasaban sobre la luna, y las estrellas se encendían y se apagaban como nuestras vidas. De pronto, allá lejos, resonó festivo ladrar de perros y música de cascabeles. Una voz grave y eclesiástica llamaba:

— ¡Aquí, *Carabel!* ¡Aquí, *Capitán!*...

Era el Prior de Brandeso que llegaba para confesarme. Después oí la voz de mi madre trémula y asustada, y percibí distintamente la carrera retozona de los perros. La voz grave y eclesiástica se elevaba lentamente, como un canto gregoriano:

—Ahora veremos qué ha sido ello... Cosa del otro mundo no lo es, seguramente... ¡Aquí, *Carabel!* ¡Aquí, *Capitán!*...

Y el Prior de Brandeso, precedido de sus lebreles, apareció en la puerta de la capilla:

—¿Qué sucede, señor Granadero del Rey?

Yo repuse con la voz ahogada:

—¡Señor Prior, he oído temblar el esqueleto dentro del sepulcro!...

El Prior atravesó lentamente la capilla. Era un hombre arrogante y erguido. En sus años juveniles también había sido Granadero del Rey. Llegó hasta mí, sin recoger el vuelo de sus hábitos blancos, y afirmándome una mano en el hombro y mirándome la faz descolorida, pronunció gravemente:

—¡Que nunca pueda decir el Prior de Brandeso que ha visto temblar a un Granadero del Rey!...

No levantó la mano de mi hombro, y permanecimos inmóviles, contemplándonos sin hablar. En aquel silencio oímos rodar la calavera del guerrero. La mano del Prior no tembló. A nuestro lado los perros enderezaban las orejas con el cuello espeluznado. De nuevo oímos rodar la calavera sobre su almohada de piedra. El Prior me sacudió:

—¡Señor Granadero del Rey, hay que saber si son trasgos o brujas!...

Y se acercó al sepulcro y asió las dos anillas de bronce empotradas en una de las losas, aquella que tenía el epitafio. Me acerqué temblando. El Prior me miró sin desplegar los labios. Yo puse mi mano sobre la suya en una anilla y tiré. Lentamente alzamos la piedra. El hueco, negro y frío, quedó ante nosotros. Yo vi que la árida y amarillenta calavera aún se movía. El Prior alargó un brazo dentro del sepulcro para cogerla. Después, sin una palabra y sin un gesto, me la entregó. La recibí temblando. Yo estaba en medio del presbiterio y la luz de la lámpara caía sobre mis manos. Al fijar los ojos las sacudí con horror. Tenía entre ellas un nido de culebras que se desanillaron silbando, mientras la calavera rodaba con hueco y liviano son todas las gradas del presbiterio. El Prior me miró con sus ojos de guerrero que fulguraban bajo la capucha como bajo la visera de un casco:

—Señor Granadero del Rey, no hay absolución... ¡Yo no absuelvo a los cobardes!

Y con rudo empaque salió sin recoger el vuelo de sus blancos hábitos talares. Las palabras del Prior de Brandeso resonaron mucho tiempo en mis oídos. Resuenan aún. ¡Tal vez por ellas he sabido más tarde sonreir a la muerte como a una mujer!

TRAGEDIA DE ENSUEÑO

Han dejado abierta la casa y parece abandonada...
El niño duerme fuera, en la paz de la tarde que ago-
niza, bajo el emparrado de la vid. Sentada en el
umbral, una vieja mueve la cuna con el pie, mien-
tras sus dedos arrugados hacen girar el huso de la
rueca. Hila la vieja, copo tras copo, el lino more-
no de su campo. Tiene cien años, el cabello platea-
do, los ojos faltos de vista, la barbeta temblorosa.

LA ABUELA

¡Cuantos trabajos nos aguardan en este mundo!
Siete hijos tuve, y mis manos tuvieron que coser
siete mortajas... Los hijos me fueron dados para
que conociese las penas de criarlos, y luego, uno a
uno, me los quitó la muerte cuando podían ser ayuda de mis años. Estos tristes ojos aún no se cansan
de llorarlos. ¡Eran siete reyes, mozos y gentiles!...
Sus viudas volvieron a casarse, y por delante de mi
puerta vi pasar el cortejo de sus segundas bodas, y
por delante de mi puerta vi pasar después los alegres bautizos... ¡Ah! Solamente el corro de mis nietos
se deshojó como una rosa de Mayo... ¡Y eran tantos,
que mis dedos se cansaban hilando día y noche sus
pañales!... A todos los llevaron por ese camino donde

cantan los sapos y el ruiseñor. ¡Cuánto han llorado mis ojos! Quedé ciega viendo pasar sus blancas cajas de ángeles. ¡Cuánto han llorado mis ojos y cuánto tienen todavía que llorar! Hace tres noches que aúllan los perros a mi puerta. Yo esperaba que la muerte me dejase este nieto pequeño, y también llega por él... ¡Era, entre todos, el que más quería!... Cuando enterraron a su padre aún no era nacido. Cuando enterraron a su madre aún no era bautizado... ¡Por eso era, entre todos, el que más quería!... Íbale criando con cientos de trabajos. Tuve una oveja blanca que le servía de nodriza, pero la comieron los lobos en el monte... ¡Y el nieto mío se marchita como una flor! ¡Y el nieto mío se muere lenta, lentamente, como las pobres estrellas, que no pueden contemplar el amanecer!

La vieja llora y el niño se despierta. La vieja se inclina sollozando sobre la cuna, y con las manos temblorosas la recorre a tientas, buscando donde está la cabecera. Al fin se incorpora con el niño en brazos. Le oprime contra el seno, árido y muerto, y lloran hilo a hilo sus ojos ciegos. Con las lágrimas detenidas en el surco venerable de las arrugas, canta por ver de acallarle. Canta la abuela una antigua tonadilla. Al oírla se detienen en el camino tres doncellas que vuelven del río, cansadas de lavar y tender, de sol a sol, las ricas ambas de hilo de Arabia. Son tres hermanas azafatas en los palacios del Rey. La mayor se llama Andara, la mediana Isabela, la pequeña Aladina.

LA MAYOR

Pobre abuela, canta para matar su pena!

LA MEDIANA

¡Canta siempre que llora el niño!

LA PEQUEÑA

¿Sabéis vosotras por qué llora el niño?... Aquella oveja blanca que le criaba se extravió en el monte, y por eso llora el niño...

LAS DOS HERMANAS

¿Tú le has visto?... ¿Cuándo fue que le has visto?

LA PEQUEÑA

Al amanecer le vi dormido en la cuna. Está más blanco que la espuma del río donde nosotras lavamos. Me parecía que mis manos al tocarle se llevaban algo de su vida, como si fuese un aroma que las santificase.

LAS DOS HERMANAS

Ahora al pasar nos detendremos a besarle.

LA PEQUEÑA

¿Y qué diremos cuando nos interrogue la abuela?... A mí me dio una tela hilada y tejida por sus manos para que la lavase, y al mojarla se la llevó la corriente...

LA MEDIANA

A mí me dio un lenzuelo de la cuna, y al tenderlo al sol se lo llevó el viento...

LA MAYOR

A mí me dio una madeja de lino, y al recogerla del zarzal donde la había puesto a secar, un pájaro negro se la llevó en el pico...

LA PEQUEÑA

¡Yo no sé qué le diremos!...

LA MEDIANA

Yo tampoco, hermana mía.

LA MAYOR

Pasaremos en silencio. Como está ciega no puede vernos.

LA MEDIANA

Su oído conoce las pisadas.

LA MAYOR

Las apagaremos en la hierba.

LA PEQUEÑA

Sus ojos adivinan las sombras.

LA MAYOR

Hoy están cansados de llorar.

LA MEDIANA

Vamos, pues, todo por la orilla del camino, que es donde la hierba está crecida.

Las tres hermanas, Andara, Isabela y Aladina, van en silencio andando por la orilla del camino. La vieja levanta un momento los ojos sin vista. Después sigue meciendo y cantando al niño. Las tres hermanas, cuando han pasado, vuelven la cabeza. Se alejan y desaparecen, una tras otra, en la revuelta. Allá, por la falda de la colina, asoma un pastor. Camina despacio, y al andar se apoya en el cayado. Es muy anciano, vestido todo de pieles, con la barba nevada y solemne. Parece uno de aquellos piadosos pastores que adoraron al Niño Jesús en el Establo de Belén.

EL PASTOR

Ya se pone el sol. ¿Por qué no entras en la casa con tu nieto?

LA ABUELA

Dentro de la casa anda la muerte... ¿No la sientes batir las puertas?

EL PASTOR

Es el viento que viene con la noche...

LA ABUELA

¡Ah!... ¡Tú piensas que es el viento!... ¡Es la muerte!...

EL PASTOR

¿La oveja no ha parecido?

LA ABUELA

La oveja no ha parecido, ni parecerá...

EL PASTOR

Mis zagales la buscaron dos días enteros... Se han cansado ellos y los canes...

LA ABUELA

¡Y el lobo ríe en su cubil!...

EL PASTOR

Yo también me cansé buscándola.

LA ABUELA

¡Y todos nos cansaremos!... Solamente el niño seguirá llamándola en su lloro, y seguirá, y seguirá...

EL PASTOR

Yo escogeré en mi rebaño una oveja mansa.

LA ABUELA

No la hallarás. Las ovejas mansas las comen los lobos.

EL PASTOR

Mi rebaño tiene tres canes vigilantes. Cuando yo vuelva del monte, le ofreceré al niño una oveja con su cordero blanco.

LA ABUELA

¡Ah! ¡Cuánto temía que la esperanza llegase y se cobijara en mi corazón como en un nido viejo abandonado bajo el alar!

EL PASTOR

La esperanza es un pájaro que va cantando por todos los corazones.

LA ABUELA

Soy una pobre desvalida, pero mientras conservase tiento mis dedos, hilarían para tu regalo cuanta lana diere la oveja. ¡Pero no vivirá el nieto mío!... Hace ya tres días, desde que aúllan los perros, cuan-

do le alzo de la cuna siento batir sus alas de ángel
como si quisiese aprender a volar...

*Vuelve a llorar el niño, pero con un vagido cada
vez más débil y desconsolado. Vuelve su abuela a
mecerle con la antigua tonadilla. El pastor se aleja
lentamente, pasa por un campo verde, donde están
jugando a la rueda... Canta el corro infantil la
misma tonadilla que la abuela. Al deshacerse, unas
niñas con la falda llena de flores se acercan a la
vieja, que no las siente, y sigue meciendo a su nieto.
Las niñas se miran en silencio y se sonríen. La abuela deja de cantar y acuesta al nieto en la cuna.*

LAS NIÑAS

¿Se ha dormido, abuela?

LA ABUELA

Sí, se ha dormido.

LAS NIÑAS

¡Qué blanco está!... ¡Pero no duerme, abuela!...
Tiene los ojos abiertos... Parece que mira una cosa
que no se ve...

LA ABUELA

¡Una cosa que no se ve!... ¡Es la otra vida!...

LAS NIÑAS

Se sonríe y cierra los ojos...

LA ABUELA

Con ellos cerrados seguirá viendo lo mismo que
antes veía. Es su alma blanca la que mira.

LAS NIÑAS

¡Se sonríe...! ¿Por qué se sonríe con los ojos cerrados?...

LA ABUELA

Sonríe a los ángeles.

Una ráfaga de viento pasa sobre las sueltas cabelleras, sin ondularlas. Es un viento frío que hace llorar los ojos de la abuela. El nieto permanece inmóvil en la cuna. Las niñas se alejan pálidas y miedosas, lentamente, en silencio, cogidas de la mano.

LA ABUELA

¿Dónde estáis?... Decidme: ¿Se sonríe aún?

LAS NIÑAS

No, ya no se sonríe...

LA ABUELA

¿Dónde estáis?

LAS NIÑAS

Nos vamos ya...

Se sueltan las manos y huyen. A lo lejos suena una esquila. La abuela se encorva escuchando... Es la oveja familiar, que vuelve para que mame el niño. Llega como el don de un Rey Mago, con las ubres llenas de bien. Reconoce los lugares y se acerca con dulce balido. Trae el vellón peinado por los tojos y las zarzas del monte. La vieja extiende sobre la cuna las manos para levantar al niño. ¡Pero las pobres

*manos arrugadas, temblonas y seniles, hallan que
el niño está yerto!*

LA ABUELA

¡Ya me has dejado, nieto mío! ¡Qué sola me has
dejado! ¡Oh! ¿Por qué tu alma de ángel no puso un
beso en mi boca y se llevó mi alma cargada de penas?... Eras tú como un ramo de blancas rosas en
esta capilla triste de mi vida... Si me tendías los
brazos eran las alas inocentes de los ruiseñores que
cantan en el Cielo a los Santos Patriarcas. Si me
besaba tu boca, era una ventana llena de sol que se
abría sobre la noche... ¡Eras tú como un cirio de
blanca cera en esta capilla oscura de mi alma!...
¡Vuélveme al nieto mío, muerte negra! ¡Vuélveme al
nieto mío!...

*Con los brazos extendidos, entra en la casa desier-
ta seguida de la oveja. Bajo el techado resuenan
sus gritos. Y el viento anda a batir las puertas.*

BEATRIZ

Capítulo I

Cercaba el palacio un jardín señorial, lleno de
noble recogimiento. Entre mirtos seculares, blan-
queaban estatuas de dioses. ¡Pobres estatuas muti-
ladas! Los cedros y los laureles cimbreaban con
augusta melancolía sobre las fuentes abandonadas.
Algún tritón, cubierto de hojas, borboteaba a intervalos su risa quimérica, y el agua temblaba en la
sombra, con latido de vida misteriosa y encantada.

La Condesa casi nunca salía del palacio. Contemplaba el jardín desde el balcón plateresco de su alcoba, y con la sonrisa amable de las devotas linaju-
das, le pedía a Fray Ángel, su capellán, que cortase
las rosas para el altar de la capilla. Era muy piadosa
la Condesa. Vivía como una priora noble retirada
en las estancias tristes y silenciosas de su palacio,
con los ojos vueltos hacia el pasado. ¡Ese pasado
que los reyes de armas poblaron de leyendas herál-
dicas! Carlota Elena Aguiar y Bolaño, Condesa de
Porta-Dei, las aprendiera cuando niña deletreando
los rancios nobiliarios. Descendía de la casa de Barbanzón, una de las más antiguas y esclarecidas, según afirman ejecutorias de nobleza y cartas de hi-
dalguía signadas por el Señor Rey Don Carlos I. La

Condesa guardaba como reliquias aquellas páginas
infanzonas aforradas en velludo carmesí, que de los
siglos pasados hacían gallarda remembranza con sus
grandes letras floridas, sus orlas historiadas, sus
grifos heráldicos, sus emblemas caballerescos, sus ci-
meras empenachadas y sus escudos de dieciséis cuarteles, miniados con paciencia monástica, de gules y
de azur, de oro y de plata, de sable y de sinople.

La Condesa era unigénita del célebre Marqués de
Barbanzón, que tanto figuró en las guerras carlistas.
Hecha la paz después de la traición de Vergara
—nunca los leales llamaron de otra suerte al con-
venio—, el Marqués de Barbanzón emigró a Roma.
Y como aquellos tiempos eran los hermosos tiempos
del Papa-Rey, el caballero español fue uno de los
gentileshombres extranjeros con cargo palatino en
el Vaticano. Durante muchos años llevó sobre sus
hombros el manto azul de los guardias nobles, y
lució la bizarra ropilla acuchillada de terciopelo y
raso. ¡El mismo arreo galán con que el divino Sanzio
retrató al divino César Borgia!

Los títulos del Marqués de Barbanzón, Conde de
Gondarín y Señor de Goa extinguiéronse con el buen
caballero Don Francisco Xavier Aguiar y Bendaña,
que maldijo en su testamento, con arrogancias de
castellano leal, a toda su descendencia, si entre ella
había uno solo que, traidor y vanidoso, pagase lanzas
y anatas a cualquier Señor Rey que no lo fuese por
la Gracia de Dios. Su hija admiró llorosa la sobe-
rana gallardía de aquella maldición que se levantaba
del fondo de un sepulcro, y acatando la voluntad
paterna, dejó perderse los títulos que honraran veinte de sus abuelos, pero suspiró siempre por aquel
Marquesado de Barbanzón. Para consolarse solía
leer, cuando sus ojos estaban menos cansados, el no-

biliario del Monje de Armendáriz, donde se cuentan los orígenes de tan esclarecido linaje.

Si más tarde tituló de Condesa, fue por gracia pontificia.

CAPÍTULO II

La mano atenazada y flaca del capellán levantó el blasonado cortinón de damasco carmesí:

—¿Da su permiso la Señora Condesa?

—Adelante, Fray Ángel.

El capellán entró. Era un viejo alto y seco, con el andar dominador y marcial. Llegaba de Barbanzón, donde había estado cobrando los forales del mayorazgo. Acababa de apearse en la puerta del palacio, y aún no se descalzara las espuelas. Allá en el fondo del estrado, la suave Condesa suspiraba tendida sobre el canapé de damasco carmesí. Apenas se veía dentro del salón. Caía la tarde adusta e invernal. La Condesa rezaba en voz baja, y sus dedos, lirios blancos aprisionados en los mitones de encaje, pasaban lentamente las cuentas de un rosario traído de Jerusalén. Largos y penetrantes alaridos llegaban al salón desde el fondo misterioso del palacio. Agitaban la oscuridad, palpitaban en el silencio como las alas del murciélago Lucifer... Fray Ángel se santiguó:

—¡Válgame Dios! ¿Sin duda el Demonio continúa martirizando a la Señorita Beatriz?

La Condesa puso fin a su rezo, santiguándose con el crucifijo del rosario, y suspiró:

—¡Pobre hija mía! El Demonio la tiene poseída. A mí me da espanto oírla gritar, verla retorcerse como una salamandra en el fuego... Me han hablado de una saludadora que hay en Céltigos. Será necesario llamarla. Cuentan que hace verdaderos milagros.

Fray Ángel, indeciso, movía la tonsurada cabeza:

—Sí que los hace, pero lleva veinte años encamada.

—Se manda el coche, Fray Ángel.

—Imposible por esos caminos, señora.

—Se la trae en silla de manos.

—Únicamente. ¡Pero es difícil, muy difícil! La saludadora pasa del siglo... Es una reliquia...

Viendo pensativa a la Condesa, el capellán guardó silencio. Era un viejo de ojos enfoscados y perfil aguileño, inmóvil como tallado en granito. Recordaba esos obispos guerreros que en las catedrales duermen o rezan a la sombra de un arco sepulcral. Fray Ángel había sido uno de aquellos cabecillas tonsurados que robaban la plata de sus iglesias para acudir en socorro de la facción. Años después, ya terminada la guerra, aún seguía aplicando su misa por el alma de Zumalacárregui. La dama, con las manos en cruz, suspiraba. Los gritos de Beatriz llegaban al salón en ráfagas de loco y rabioso ulular. El rosario temblaba entre los dedos pálidos de la Condesa que, sollozante, musitaba casi sin voz:

—¡Pobre hija! ¡Pobre hija!

Fray Ángel preguntó:

—¿No estará sola?

La Condesa cerró los ojos lentamente al mismo tiempo que, con un ademán lleno de cansancio, reclinaba la cabeza en los cojines del canapé:

—Está con mi tía la Generala y con el Señor Penitenciario, que iba a decirle los exorcismos.

—¡Ah! ¿Pero está aquí el Señor Penitenciario?

La Condesa respondió tristemente:

—Mi tía le ha traído.

Fray Ángel habíase puesto en pie con extraño sobresalto:

—¿Qué ha dicho el Señor Penitenciario?

—Yo no le he visto aún.

—¿Hace mucho que está ahí?

—Tampoco lo sé, Fray Ángel.

—¿No lo sabe la Señora Condesa?

—No... He pasado toda la tarde en la capilla. Hoy comencé una novena a la Virgen de Bradomín. Si sana a mi hija, le regalaré el collar de perlas y los pendientes que fueron de mi abuela la Marquesa de Barbanzón.

Fray Ángel escuchaba con torva inquietud. Sus ojos, enfoscados bajo las cejas, parecían dos alimañas monteses azoradas. Calló la dama suspirante. El capellán permaneció en pie:

—Señora Condesa, voy a mandar ensillar la mula, y esta noche me pongo en Céltigos. Si se consigue traer a la saludadora, debe hacerse con gran sigilo. Sobre la madrugada ya podemos estar aquí.

La Condesa volvió al cielo los ojos, que tenían un cerco amoratado.

—¡Dios lo haga!

Y la noble señora arrollando el rosario entre sus dedos pálidos levantóse para volver al lado de su hija. Un gato que dormitaba sobre el canapé saltó al suelo, enarcó el espinazo y la siguió maullando... Fray Ángel se adelantó. La mano atezada y flaca del capellán sostuvo el blasonado cortinón. La Condesa pasó con los ojos bajos y no pudo ver cómo aquella mano temblaba...

Capítulo III

Beatriz parecía una muerta: Con los párpados entornados, las mejillas muy pálidas y los brazos tendidos a lo largo del cuerpo, yacía sobre el antiguo lecho de madera legado a la Condesa por Fray Diego

Aguiar, un Obispo de la noble casa de Barbanzón tenido en opinión de santo. La alcoba de Beatriz era una gran sala entarimada de castaño, oscura y triste. Tenía angostas ventanas de montante donde arrullaban las palomas, y puertas monásticas, de paciente y arcaica ensambladura, con clavos danzarines en los floreados herrajes.

El Señor Penitenciario y Misia Carlota, la Generala, retirados en un extremo de la alcoba, hablaban muy bajo. El canónigo hacía pliegues al manteo. Sus sienes calvas, su frente marfileña, brillaban en la oscuridad. Rebuscaba las palabras como si estuviese en el confesonario, poniendo sumo cuidado en cuanto decía y empleando largos rodeos para ello. Misia Carlota le escuchaba atenta, y entre sus dedos, secos como los de una momia, temblaban las agujas de madera y el ligero estambre de su calceta. Estaba pálida, y sin interrumpir al Señor Penitenciario, de tiempo en tiempo repetía anonadada:

—¡Pobre niña! ¡Pobre niña!

Como Beatriz lloraba suspirando, se levantó para consolarla. Después volvió al lado del canónigo, que con las manos cruzadas y casi ocultas entre los pliegues del manteo, parecía sumido en grave meditación. Misia Carlota, que había sido siempre dama de gran entereza, se enjugaba los ojos y no era dueña de ocultar su pena. El Señor Penitenciario le preguntó en voz baja:

—¿Cuándo llegará ese fraile?

—Tal vez haya llegado.

—¡Pobre Condesa! ¿Qué hará?

—¡Quién sabe!

—¿Ella no sospecha nada?

—¡No podía sospechar!...

—Es tan doloroso tener que decírselo...

Callaron los dos. Beatriz seguía llorando. Poco después entró la Condesa, que procuraba parecer serena. Llegó hasta la cabecera de Beatriz, inclinóse en silencio y besó la frente yerta de la niña. Con las manos en cruz, semejante a una Dolorosa, y los ojos fijos, estuvo largo tiempo contemplando aquel rostro querido. Era la Condesa todavía hermosa, prócer de estatura y muy blanca de rostro, con los ojos azules y las pestañas rubias, de un rubio dorado que tendía leve ala de sombra en aquellas mejillas tristes y altaneras. El Señor Penitenciario se acercó:

—Condesa, necesito hablar con ese Fray Ángel.

La voz del canónigo, de ordinario acariciadora y susurrante, estaba llena de severidad. La Condesa se volvió sorprendida:

—Fray Ángel no está en el palacio, Señor Penitenciario.

Y sus ojos azules, aún empañados de lágrimas, interrogaban con afán, al mismo tiempo que sobre los labios marchitos temblaba una sonrisa amable y prudente de dama devota. Misia Carlota, que estaba a la cabecera de Beatriz, se aproximó muy quedamente:

—No hablen ustedes aquí... Carlota, es preciso que tengas valor.

— ¡Dios mío! ¿Qué pasa?

— ¡Calla!

Al mismo tiempo llevaba a la Condesa fuera de la estancia. El Señor Penitenciario bendijo en silencio a Beatriz, y sin recoger sus hábitos talares salió detrás. Misia Carlota quedó en el umbral. Inmóvil y enjugándose los ojos, contempló desde allí cómo la Condesa y el Penitenciario se alejaban por el largo corredor. Después, santiguándose, volvió sola al lado de Beatriz, y posó su mano de arrugas sobre la frente tersa de la niña:

— ¡Hijita mía, no tiembles!... ¡No temas!...

Cabalgó en la nariz los quevedos con guarnición de concha, abrió un libro de oraciones, por donde marcaba el registro de seda azul ya desvanecida, y comenzó a leer en alta voz:

ORACIÓN

¡Oh Tristísima y Dolorosísima Virgen María, mi Señora, que siguiendo las huellas de vuestro amantísimo Hijo, y mi Señor Jesucristo, llegasteis al Monte Calvario, donde el Espíritu Santo quiso regalaros como en monte de mirra, y os ungió Madre del linaje humano! Concededme, Virgen María, con la Divina Gracia, el perdón de los pecados y apartad de mi alma los malos espíritus que la cercan, pues sois poderosa para arrojar a los demonios de los cuerpos y las almas. Yo espero, Virgen María, que me concedáis lo que os pido, si ha de ser para vuestra mayor gloria, y mi salvación eterna. Amén.

Beatriz repitió:

— ¡Amén!

Capítulo IV

Los ojos del gato, que hacía centinela al pie del brasero, lucían en la oscuridad. La gran copa de cobre bermejo aún guardaba entre la ceniza algunas ascuas mortecinas. En el fondo apenas esclarecido del salón, sobre los cortinajes de terciopelo, brillaba el metal de los blasones bordados: La puente de plata y los nueve roeles de oro que Don Enrique III diera por armas al Señor de Barbanzón, Pedro Aguiar de Tor, llamado el Chivo y también el Viejo. Las rosas marchitas perfumaban la oscuridad, deshojándose misteriosas en antiguos floreros de porcelana que imitaban manos abiertas. Un criado encendía los candelabros de plata que había sobre las consolas. Después la Condesa y el Penitenciario entraban en el salón. La dama, con ademán resignado y noble, ofreció al eclesiástico asiento en el canapé, y trémula y abatida por oscuros presentimientos, se dejó caer en un sillón. El canónigo, con la voz ungida de solemnidad, empezó a decir:

—Es un terrible golpe, Condesa...

La dama suspiró:

—¡Terrible, Señor Penitenciario!

Quedaron silenciosos. La Condesa se enjugaba las lágrimas que humedecían el fondo azul de sus pupilas. Al cabo de un momento murmuró, cubierta la voz por un anhelo que apenas podía ocultar:

—¡Temo tanto lo que usted va a decirme!

El canónigo inclinó con lentitud su frente pálida y desnuda, que parecía macerada por las graves meditaciones teológicas:

—¡Es preciso acatar la voluntad de Dios!

—¡Es preciso!... ¿Pero qué hice yo para merecer una prueba tan dura?

—¡Quién sabe hasta dónde llegan sus culpas! Y los designios de Dios, nosotros no los conocemos.

La Condesa cruzó las manos dolorida:

—Ver a mi Beatriz privada de la gracia, poseída de Satanás.

El canónigo la interrumpió:

—¡No, esa niña no está poseída!... Hace veinte años que soy Penitenciario en nuestra Catedral, y un caso de conciencia tan doloroso, tan extraño, no lo había visto. ¡La confesión de esa niña enferma, todavía me estremece!...

La Condesa levantó los ojos al cielo:

—¡Se ha confesado! Sin duda Dios Nuestro Señor quiere volverle su gracia. ¡He sufrido tanto viendo a mi pobre hija aborrecer de todas las cosas santas! Porque antes estuvo poseída, Señor Penitenciario.

—No, Condesa, no lo estuvo jamás.

La Condesa sonrió tristemente, inclinándose para buscar su pañuelo, que acababa de perdérsele. El Señor Penitenciario lo recogió de la alfombra. Era menudo, mundano y tibio, perfumado de incienso y estoraque, como los corporales de un cáliz:

—Aquí está, Condesa.

—Gracias, Señor Penitenciario.

El canónigo sonrió levemente. La llama de las bujías brillaba en sus anteojos de oro. Era alto y encorvado, con manos de obispo y rostro de jesuita. Tenía la frente desguarnecida, las mejillas tristes, el mirar amable, la boca sumida, llena de sagacidad. Recordaba el retrato del cardenal Cosme de Ferrara que pintó el Perugino. Tras leve pausa continuó:

—En este palacio, señora, se hospeda un sacerdote impuro, hijo de Satanás...

La Condesa le miró horrorizada:

—¿Fray Ángel?

El Penitenciario afirmó inclinando tristemente la cabeza, cubierta por el solideo rojo, privilegio de aquel Cabildo:

—Ésa ha sido la confesión de Beatriz. ¡Por el terror y por la fuerza han abusado de ella!...

La Condesa se cubrió el rostro con las manos, que parecían de cera. Sus labios no exhalaron un grito. El Penitenciario la contemplaba en silencio. Después continuó:

—Beatriz ha querido que fuese yo quien advirtiese a su madre. Mi deber era cumplir su ruego. ¡Triste deber, Condesa! La pobre criatura, de pena

y de vergüenza, jamás se hubiera atrevido. Su desesperación al confesarme su falta era tan grande, que
llegó a infundirme miedo. ¡Ella creía su alma condenada, perdida para siempre!

La Condesa, sin descubrir el rostro, con la voz
ronca por el llanto, exclamó:

—¡Yo haré matar el capellán! ¡Le haré matar! ¡Y
a mi hija no la veré más!

El canónigo se puso en pie lleno de severidad:

—Condesa, el castigo debe dejarse a Dios. Y en
cuanto a esa niña, ni una palabra que pueda herirla,
ni una mirada que pueda avergonzarla.

Agobiada, yerta, la Condesa sollozaba como una
madre ante la sepultura abierta de sus hijos. Allá
fuera, las campanas de un convento volteaban ale-
gremente, anunciando la novena que todos los años
hacían las monjas a la seráfica fundadora. En el
salón, las bujías lloraban sobre las arandelas doradas, y en el borde del brasero apagado dormía, ron-
cando, el gato.

Capítulo V

Los gritos de Beatriz resonaron en todo el Palacio... La Condesa estremecióse oyendo aquel plañir,
que hacía miedo en el silencio de la noche, y acudió
presurosa. La niña, con los ojos extraviados y el cabello destrenzándose sobre los hombros, se retorcía.
Su rubia y magdalénica cabeza golpeaba contra el
entarimado, y de la frente yerta y angustiada ma-
naba un hilo de sangre. Retorcíase bajo la mirada
muerta e intensa del Cristo: Un Cristo de ébano y
marfil, con cabellera humana, los divinos pies ilumi-
nados por agonizante lamparilla de plata. Beatriz
evocaba el recuerdo de aquellas blancas y legenda-

rias princesas, santas de trece años ya tentadas por
Satanás. Al entrar la Condesa, se incorporó con ex-
travío, la faz lívida, los labios trémulos como rosas
que van a deshojarse. Su cabellera apenas cubría la
candidez de los senos:

—¡Mamá! ¡Mamá! ¡Perdóname!

Y le tendía las manos, que parecían dos blancas
palomas azoradas. La Condesa quiso alzarla en los
brazos:

—¡Sí, hija, sí! Acuéstate ahora.

Beatriz retrocedió con los ojos horrorizados, fijos
en el revuelto lecho:

—¡Ahí está Satanás! ¡Ahí duerme Satanás! Viene
todas las noches. Ahora vino y se llevó mi escapu-
lario. Me ha mordido en el pecho. ¡Yo grité, grité!
Pero nadie me oía. Me muerde siempre en los pechos
y me los quema.

Y Beatriz mostrábale a su madre el seno de blancura lívida, donde se veía la huella negra que dejan
los labios de Lucifer cuando besan. La Condesa, pálida como la muerte, descolgó el crucifijo y le puso
sobre las almohadas:

—¡No temas, hija mía! ¡Nuestro Señor Jesucristo
vela ahora por ti!

—¡No! ¡No!

Y Beatriz se estrechaba al cuello de su madre.
La Condesa arrodillóse en el suelo. Entre sus manos
guardó los pies descalzos de la niña, como si fuesen
dos pájaros enfermos y ateridos. Beatriz, ocultando
la frente en el hombro de su madre, sollozó:

—Mamá querida, fue una tarde que bajé a la capilla para confesarme... Yo te llamé gritando... Tú
no me oíste... Después quería venir todas las noches,
y yo estaba condenada...

—¡Calla, hija mía! ¡No recuerdes!...

Y las dos lloraron juntas, en silencio, mientras sobre la puerta de arcaica ensambladura y floreados herrajes, arrullaban dos tórtolas, que Fray Ángel había criado para Beatriz... La niña, con la cabeza apoyada en el hombro de su madre, trémula y suspirante, adormecióse poco a poco. La luna de invierno brillaba en el montante de las ventanas y su luz blanca se difundía por la estancia. Fuera se oía el viento, que sacudía los árboles del jardín, y el rumor de una fuente.

La Condesa acostó a Beatriz en el canapé, y silenciosa, llena de amoroso cuidado, la cubrió con una colcha de damasco carmesí, ese damasco antiguo, que parece tener algo de litúrgico. Beatriz suspiró sin abrir los ojos. Sus manos quedaron sobre la colcha: Eran pálidas, blancas, ideales, transparentes a la luz; las venas azules dibujaban una flor de ensueño. Con los ojos llenos de lágrimas, la Condesa ocupó un sillón que había cercano. Estaba tan abrumada, que casi no podía pensar, y rezaba confusamente, adormeciéndose con el resplandor de la luz que ardía a los pies del Cristo, en un vaso de plata. Ya muy tarde entró Misia Carlota, apoyada en su muleta, con los quevedos temblantes sobre la corva nariz. La Condesa se llevó un dedo a los labios indicándole que Beatriz dormía, y la anciana se acercó sin ruido, andando con trabajosa lentitud:

—¡Al fin descansa!

—Sí.

—¡Pobre alma blanca!

Sentóse y arrimó la muleta a uno de los brazos del sillón. Las dos damas guardaron silencio. Sobre el montante de la puerta la pareja de tórtolas seguía arrullando.

Capítulo VI

A medianoche llegó la saludadora de Céltigos. La conducían dos nietos ya viejos, en un carro de bueyes, tendida sobre paja. La Condesa dispuso que dos criados la subiesen. Entró salmodiando saludos y oraciones. Era vieja, muy vieja, con el rostro desgastado como las medallas antiguas, y los ojos verdes, del verde maléfico que tienen las fuentes abandonadas, donde se reúnen las brujas. La noble señora salió a recibirla hasta la puerta, y temblándole la voz, preguntó a los criados:

—¿Visteis si ha venido también Fray Ángel?

En vez de los criados respondió la saludadora con el rendimiento de las viejas que acuerdan el tiempo de los mayorazgos:

—Señora mi Condesa, yo sola he venido, sin más compañía que la de Dios.

—¿Pero no fue a Céltigos un fraile con el aviso?...

—Estos tristes ojos a nadie vieron.

Los criados dejaron a la saludadora en un sillón. Beatriz la contemplaba. Los ojos, sombríos, abiertos como sobre un abismo de terror y de esperanza. La saludadora sonrió con la sonrisa yerta de su boca desdentada:

—¡Miren con cuánta atención está la blanca rosa! No me aparta la vista.

La Condesa, que permanecía en pie en medio de la estancia, interrogó:

—¿Pero no vio a un fraile?

—A nadie, mi señora.

—¿Quién llevó el aviso?

—No fue persona de este mundo. Ayer de tarde quedéme dormida, y en el sueño tuve una revelación.

Me llamaba la buena Condesa moviendo su pañuelo blanco, que era después una paloma volando, volando para el Cielo.

La dama preguntó temblando:

—¿Es buen agüero eso?...

—¡No hay otro mejor, mi Condesa! Díjeme entonces entre mí: Vamos al palacio de tan gran señora.

La Condesa callaba. Después de algún tiempo, la saludadora, que tenía los ojos clavados en Beatriz, pronunció lentamente:

—A esta rosa galana le han hecho mal de ojo. En un espejo puede verse, si a mano lo tiene mi señora.

La Condesa le entregó un espejo guarnecido de plata antigua. Levantóle en alto la saludadora, igual que hace el sacerdote con la hostia consagrada, lo empañó echándole el aliento, y con un dedo tembloroso trazó el círculo del Rey Salomón. Hasta que se borró por completo tuvo los ojos fijos en el cristal:

—La Condesita está embrujada. Para ser bien roto el embrujo, han de decirse las doce palabras que tiene la oración del Beato Electus, al dar las doce campanadas del mediodía, que es cuando el Padre Santo se sienta a la mesa y bendice a toda la Cristiandad.

La Condesa se acercó a la saludadora. El rostro de la dama parecía el de una muerta, y sus ojos azules tenían el venenoso color de las turquesas:

—¿Sabe hacer condenaciones?

—¡Ay, mi Condesa, es muy grande pecado!

—¿Sabe hacerlas? Yo mandaré decir misas y Dios se lo perdonará.

La saludadora meditó un momento:

—Sé hacerlas, mi Condesa.

—Pues hágalas...

—¿A quién, mi señora?

—A un capellán de mi casa.

La saludadora inclinó la cabeza:

—Para eso hace menester del breviario.

La Condesa salió y trajo el breviario de Fray
Ángel. La saludadora arrancó siete hojas y las puso
sobre el espejo. Después, con las manos juntas, como
para un rezo, salmodió:

— ¡Satanás! ¡Satanás! Te conjuro por mis malos
pensamientos, por mis malas obras, por todos mis
pecados. Te conjuro por el aliento de la culebra, por
la ponzoña de los alacranes, por el ojo de la sala-
mantiga. Te conjuro para que vengas sin tardanza
y en la gravedad de aqueste círculo del Rey Salomón
te encierres, y en él te estés sin un momento te
partir, hasta poder llevarte a las cárceles tristes y
oscuras del Infierno el alma que en este espejo agora
vieres. Te conjuro por este rosario que yo sé profa-
nado por ti y mordido en cada una de sus cuentas.
¡Satanás! ¡Satanás! Una y otra vez te conjuro.

Entonces el espejo se rompió con triste gemido
de alma encarcelada. Las tres mujeres, mirándose
silenciosas, con miedo de hablar, con miedo de mo-
verse, esperan el día, puestas las manos en cruz.
Amanecía cuando sonaron grandes golpes en la puerta del palacio. Unos aldeanos de Céltigos traían a
hombros el cuerpo de Fray Ángel, que al claro de
la luna descubrieran flotando en el río... ¡La cabeza
yerta, tonsurada, pendía fuera de las andas!

UN CABECILLA

De aquel molinero viejo y silencioso que me sirvió
de guía para visitar las piedras célticas del Monte
Rouriz guardo un recuerdo duro, frío y cortante
como la nieve que coronaba la cumbre. Quizá más
que sus facciones, que parecían talladas en durísimo
granito, su historia trágica hizo que con tal energía
hubiéseme quedado en el pensamiento aquella cara
tabacosa que apenas se distinguía del paño de la
montera. Si cierro los ojos, creo verle: Era nudoso,
seco y fuerte, como el tronco centenario de una vid;
los mechones grises y desmedrados de su barba re-
cordaban esas manchas de musgo que ostentan en
las ocacidades de los pómulos las estatuas de los
claustros desmantelados: Sus labios de corcho se
plegaban con austera indiferencia: Tenía un perfil
inmóvil y pensativo, una cabeza inexpresiva de re-
lieve egipcio. ¡No, no lo olvidaré nunca!

Había sido un terrible guerrillero. Cuando la segunda guerra civil, echóse al campo con sus cinco
hijos, y en pocos días logró levantar una facción de
gente aguerrida y dispuesta a batir el cobre. Algunas veces fiaba el mando de la partida a su hijo
Juan María y se internaba en la montaña, seguro,
como lobo que tiene en ella su cubil. Cuando menos
se le esperaba, reaparecía cargado con su escopeta

llena de ataduras y remiendos, trayendo en su compañía algún mozo aldeano de aspecto torpe y asus-
tadizo que, de fuerza o de grado, venía a engrosar
las filas. A la ida y a la vuelta solía recaer por el
molino para enterarse de cómo iban las familias,
que eran los nietos, y de las piedras que molían.
Cierta tarde de verano llegó y hallólo todo en des-
orden. Atada a un poste de la parra, la molinera
desdichábase y llamaba inútilmente a sus nietos, que
habían huido a la aldea. El galgo aullaba, con una
pata maltrecha en el aire. La puerta estaba rota a
culatazos, y el grano y la harina alfombraban el suelo. Sobre la artesa se veían aún residuos del yantar
interrumpido, y en el corral la vieja hucha de castaño revuelta y destripada... El cabecilla contempló tal
desastre sin proferir una queja. Después de bien enterarse, acercóse a su mujer murmurando, con aquella voz desentonada y caótica de viejo sordo:

—¿Vinieron los negros?

—¡Arrastrados se vean!

—¿A qué horas vinieron?

—Podrían ser las horas de yantar. ¡Tanto me so-
bresalté, que se me desvanece el acuerdo!

—¿Cuántos eran? ¿Qué les has dicho?

La molinera sollozó más fuerte. En vez de contestar, desatóse en denuestos contra aquellos enemigos
malos que tan gran destrozo hacían en la casa de
un pobre que con nadie del mundo se metía. El marido la miró con sus ojos cobrizos de gallego des-
confiado:

—¡Ay, demonio! ¡No eres tú la gran condenada
que a mí me engaña! Tú les has dicho dónde está la
partida.

Ella seguía llorando sin consuelo:

—¡Arrepara, hombre, de qué hechura esos verdugos de Jerusalén me pusieron! ¡Atada mismamente como Nuestro Señor!

El guerillero repitió blandiendo furioso la escopeta:

—¡A ver cómo respondés, puñela! ¿Qué les has dicho?

—¡Pero considera, hombre!

Calló dando un gran suspiro, sin atreverse a continuar, tanto la imponía la faz arrugada del viejo. Él no volvió a insistir. Sacó el cuchillo, y cuando ella creía que iba a matarla, cortó las ligaduras, y sin proferir una palabra, la empujó obligándola a que le siguiese. La molinera no cesaba de gimotear:

—¡Ay! ¡Hijos de mis entrañas! ¿Por qué no había de dejarme quemar en unas parrillas antes de decir dónde estábades? Vos, como soles. Yo, una vieja con los pies para la cueva. Precisaba de andar mil años peregrinando por caminos y veredas para tener perdón de Dios. ¡Ay mis hijos! ¡Mis hijos!

La pobre mujer caminaba angustiada, enredados los toscos dedos de labradora en la mata cenicienta de sus cabellos. Si se detenía, mesándoselos y gimiendo, el marido, cada vez más sombrío, la empujaba con la culata de la escopeta, pero sin brusquedad, sin ira, como a vaca mansísima nacida en la propia cuadra, que por acaso cerdea. Salieron de la era abrasada por el sol de un día de agosto, y después de atravesar los prados del Pazo de Melías, se internaron en el hondo camino de la montaña. La mujer suspiraba:

—¡Virgen Santísima, no me desampares en esta hora!

Anduvieron sin detenerse hasta llegar a una revuelta donde se alzaba un retablo de ánimas. El cabecilla encaramóse sobre un bardal y oteó receloso cuanto de allí alcanzaba a verse del camino. Amartilló la escopeta, y tras de asegurar el pistón, se santiguó con lentitud respetuosa de cristiano viejo:

—Sabela, arrodíllate junto al Retablo de las Benditas.

La mujer obedeció temblando. El viejo se enjugó una lágrima:

—Encomiéndate a Dios, Sabela.

—¡Ay, hombre, no me mates! ¡Espera tan siquiera a saber si aquellas prendas padecieron mal alguno!

El guerrillero volvió a pasarse la mano por los ojos, luego descolgó del cinto el clásico rosario de cuentas de madera, con engaste de alambrillo dorado, y diósele a la vieja, que lo recibió sollozando. Aseguróse mejor sobre el bardal, y murmuró austero:

—Está bendito por el señor obispo de Orense, con indulgencia para la hora de la muerte.

Él mismo se puso a rezar con monótono y frío bisbiseo. De tiempo en tiempo echaba una inquieta ojeada al camino. La molinera se fue poco a poco serenando. En el venerable surco de sus arrugas quedaban trémulas las lágrimas. Sus manos agitadas por tembleequeteo senil, hacían oscilar la cruz y las medallas del rosario. Inclinóse golpeando el pecho y besó la tierra con unción. El viejo murmuró:

—¿Has acabado?

Ella juntó las manos con exaltación cristiana:

—¡Hágase, Jesús, tu divina voluntad!

Pero cuando vio al terrible viejo echarse la escopeta a la cara y apuntar, se levantó despavorida y corrió hacia él con los brazos abiertos:

—¡No me mates! ¡No me mates, por el alma de...!

Sonó el tiro, y cayó en medio del camino con la frente agujereada. El cabecilla alzó de la arena ensangrentada su rosario de faccioso, besó el crucifijo de bronce, y sin detenerse a cargar la escopeta huyó en dirección de la montaña. Había columbrado hacía un momento, en lo alto de la trocha, los tricornios enfundados de los guardias civiles.

Confieso que cuando el buen Urbino Pimentel me contó en Viana esta historia terrible, temblé recordando la manera violenta y feudal con que despedí en la Venta de Brandeso al antiguo faccioso, harto de acatar la voluntad solapada y granítica de aquella esfinge tallada en viejo y lustroso roble.

LA MISA DE SAN ELECTUS

Las mujerucas que llenaban sus cántaros en la fuente comentaban aquella desgracia con la voz asustada. Éranse tres mozos que volvían cantando del molino, y a los tres habíales mordido el lobo rabioso que bajaba todas las noches al casal. Los tres mozos, que antes eran encendidos como manzanas, ahora íbanse quedando más amarillos que la cera. Perdido todo contento, pasaban los días sentados al sol, enlazadas las flacas manos en torno de las rodillas, con la barbeta hincada en ellas. Y aquellas mujerucas que se reunían a platicar en la fuente cuando pasaban ante ellos solían interrogarles:

—¿Habéis visto al saludador de Cela?

—Allá hemos ido todos tres.

—¿No vos ha dado remedio?

—Para este mal no hay remedio.

—Vos engañáis, rapaces. Remedio lo hay para todas las cosas queriendo Dios.

Y se alejaban las mujerucas encorvadas bajo sus cántaros, que goteaban el agua, y quedábanse los tres mozos mirándolas con ojos tristes y abatidos, esos ojos de los enfermos a quienes les están cavando la hoya. Ya llevaban así muchos días, cuando con el aliento de una última esperanza se reanimaron y fueron juntos por los caminos pidiendo limosna para decirle una misa a San Electus. Cuando llega-

ban a la puerta de las casas hidalgas, las viejas señoras mandaban socorrerlos, y los niños, asomados
a los grandes balcones de piedra, los interrogábamos:

—¿Hace mucho que fuisteis mordidos?

—Cumpliéronse tres semanas el día de San Amaro.

—¿Es verdad que veníais del molino?

—Es verdad, señorines.

—¿Era muy de noche?

—Como muy de noche no era, pero iba cubierta
la luna y todo el camino hacía oscuro.

Y los tres mozos, luego de recibir la limosna, seguían adelante. Tornaban a recorrer los caminos y
a contar en todas las puertas la historia de cómo el
lobo les había mordido. Cuando juntaron la bastante
limosna para la misa, volviéronse a su aldea. Era el
caer de la tarde, y caminaban en silencio por aquella vereda del molino donde les saliera el lobo. Los
tres mozos sentían un vago terror. No se había puesto el sol y el borroso creciente de la luna ya asomaba
en el cielo. La tarde tenía esa claridad triste y otoñal
que parece llena de alma. El arco iris cubría la aldea,
y los cipreses oscuros y los álamos de plata parecían temblar en un rayo de anaranjada luz. Los tres
mozos caminaban en hilera, y sólo se oía el choclear
de sus madreñas. Antes de entrar en la aldea se de-
tuvieron en la Rectoral que era una casona vieja
situada en la orilla del camino. El abad se paseaba
en la solana, y ellos subieron humildes, quitándose
las monteras:

—¡A la paz de Dios, señor abad!

—¡A la paz de Dios!

—Aquí venimos para que le diga una misa al
Glorioso San Electus.

—¿Habéis juntado buena limosna?

—Son muchos a pedir y pocos a dar, señor abad.

—¿Cuándo queréis que se diga la misa?

—Como querer, queríamos mañana.

—Mañana se dirá, pero ha de ser con el alba, porque tengo pensado ir a la feria...

Después los tres mozos se despedían agradecidos, con una salmodia triste. Siempre en silencio, caminando en hilera, entraron en la aldea, y guarecidos en un pajar pasaron la noche. Al amanecer, el que se despertó primero llamó a los otros dos:

—¡Alzarse, rapaces!

Se incorporaron penosamente, con los ojos llenos de angustia y la boca hilando babas. Los dos gimieron. El uno dijo:

—¡No puedo moverme!

Y el otro:

—¡Por compasión, ayudadme!

Y sollozaron medio sepultados en la paja, fijos sus ojos tristes y clavados en el compañero que estaba de pie, y se quejaron alternativamente. El uno:

—¡Sácame al sol, que muero de frío!

Y el otro:

—¡Por el alma de tus difuntos, no nos dejes en este desamparo!

Sus voces sonaban iguales. El compañero les interrogaba asustado:

—¿Qué vos sucede?

Y las voces estranguladas gemían:

—¡Por caridad, sácanos al sol!

El compañero acudió a valerles, pero como tenían las piernas baldadas, fue preciso dejarlos allí con la puerta del pajar abierta, para que las almas caritativas que pasasen pudiesen socorrerlos. Al despedirse de ellos lloraba el compañero:

—Ya tocan para la misa. Yo la oiré por vosotros. No desesperéis, que a todos querrá sanarnos el Glorioso San Electus.

Salió, y por el camino seguía oyendo las dos voces estranguladas que parecían una sola:

—¡Líbrame de penar, Glorioso San Electus!

—¡Glorioso San Electus, no me dejes morir en estas pajas como un can!

A la puerta de la iglesia un niño aldeano tocaba a misa tirando de una cadena. Estaba abierta la puerta, y el abad, todavía por revestir, arrodillado en el presbiterio. Algunas viejas en la sombra del muro rezaban. Tenían tocadas sus cabezas con los mantelos, y de tiempo en tiempo resonaba una tos. El mozo atravesó la iglesia procurando amortiguar el ruido de sus madreñas, y en las gradas del altar se arrodilló haciendo la señal de la cruz. El niño que tocaba la campana vino a encender las velas. Poco después el abad salía revestido y comenzaba la misa. El mozo, acurrucado en las gradas del presbiterio, rezaba devoto. Caído en tierra recibió la bendición. Cuando volvió al pajar caminaba arrastrándose, y durante todo aquel día el quejido de tres voces, que parecían una sola, llenó la aldea, y en la puerta del pajar hubo siempre alguna mujeruca que asomaba curiosa. Murieron en la misma noche los tres mozos, y en unas andas, cubiertas con sábanas de lino, los llevaron a enterrar en el verde y oloroso cementerio de San Clemente de Brandeso.

EL REY DE LA MÁSCARA

El cura de San Rosendo de Gondar, un viejo magro y astuto, de perfil monástico y ojos enfoscados y parduscos como de alimaña montés, regresaba a su rectoral a la caída de la tarde, después del rosario. Apenas interrumpían la soledad del campo, aterido por la invernada, algunos álamos desnudos. El camino, cubierto de hojas secas, flotaba en el rosado vapor de la puerta solar. Allá, en la revuelta, alzábase un retablo de ánimas, y la alcancía destinada a la limosna mostraba, descerrajada y rota, el vacío fondo. Estaba la rectoral aislada en medio del campo, no muy distante de unos molinos. Era negra, decrépita y arrugada, como esas viejas mendigas que piden limosna, arrostrando soles y lluvias, apostadas a la vera de los caminos reales. Como la noche se venía encima, con negros barruntos de ventisca y agua, el cura caminaba de prisa, mostrando su condición de cazador. Era uno de aquellos cabecillas tonsurados que, después de machacar la plata de sus iglesias y santuarios para acudir en socorro de la facción, dijeron misas gratuitas por el alma de Zumalacárregui. A pesar de sus años conservábase erguido. Llevaba ambas manos metidas en los bolsillos de un montecristo azul, sombrerazo de alas e inmenso paraguas rojo bajo el brazo. Halagando el cuello de un desdentado perdiguero, que hacía centinela en la solana, entró el párroco en la cocina a tiempo que una moza aldeana, de ademán brioso y rozagante, ponía la mesa para la cena:

—¿Qué se trajina, Sabel?

—Vea, señor tío... .

Y Sabel, sonriente, un poco sofocada por el fuego, con el floreado pañuelo anudado en la nuca para contener la copiosa madeja castaña, con la camisa de estopa arremangada, mostrando hasta más arriba del codo los brazos blancos, blanquísimos, rubia como una espiga, mohina como un recental, frondosa como una rama verde y florida, mostraba sobre la boca del pote la fuente de rubias filloas, el plato clásico y tradicional con que en Galicia se festeja el antruejo. Católas el cura con golosina de viejo regalón, y después, sentándose en un banquillo al calor de la lumbre, sacó de la faltriquera un trenzado de negrísimo tabaco, que picó con la uña, restregando el polvo entre las palmas, procediendo siempre con mucha parsimonia. Hallábase todavía en esta tarea cuando los tenaces ladridos del perro, que corría venteando de un lado a otro, parándose a arañar con las manos en la puerta, le obligaron a levantarse para averiguar la causa de semejante alboroto:

—¡Condenado animal!

Sabel murmuró un poco inmutada:

—¿Estará rabioso?

—¡Rabioso, buena gana! Si estuviese rabioso no ladraba así.

A esta sazón rompió a tocar en la vereda tan estentórea y desapacible murga, que parecía escapada del infierno. Repique de conchas y panderos, lúgubres mugidos de bocina, sones estridentes de guita-

rros destemplados, de triángulos, de calderos. Abrió
Sabel la ventana, escudriñando en la oscuridad:

—¡Pues si es una mascarada!

Apenas divisaron a la moza los murguistas, em-
pezaron a aullar dando saltos y haciendo piruetas,
penetrando en la casa con el vocerío y llaneza de
quien lleva la cara tapada. Eran hasta seis hombres,
tiznados como diablos, disfrazados con prendas de
mujer, de soldado y de mendigo: Antiparras negras,
larguísimas barbas de estopa, sombrerones viejos,
manteos remendados, todos guiñapos sórdidos, húmedos, asquerosos, que les hacían de repugnante
agüero. En unas angarillas traían un espantajo, vestido de rey o emperador, con corona de papel y cetro de caña. Por rostro pusiéranle groserísima careta
de cartón, y el resto del disfraz lo completaba una
sábana blanca.

Instóles el cura con tosca cortesía a que se des-
cubriesen y bebiesen un trago, mas ellos lo rehusa-
ron farfullando cumplimientos, acompañados de vi-
sajes, genuflexiones y cabeceos grotescos. Habían
posado las angarillas en tierra y asordaban la cocina,
embullando muy zafiamente al eclesiástico y a la
moza, que no por eso dejaban de celebrarlo con risa
franca y placentera. Solamente el perro, guarecido
bajo el hogar, enseñaba los dientes y se desataba
en ladridos. El párroco insistía en que habían de
probar el vino de su cosecha, y acabó por incomo-
darse. Mejor no se hacía en diez leguas a la redonda.
Era puro como lo daba Dios, sin porquerías de aguar-
dientes, ni de azúcares, ni de campeche... Encendió
un farolillo, descolgó una llave mohosa de entre
otras muchas que colgaban de la ennegrecida viga,
y descendió la escalerilla que conducía a la bodega.
Desde abajo se le oyó gritar:

—¡Sabel! Trae el jarro grande.

—¡Voy, señor tío!

Sabel apartó del fuego la sartén, descolgó el jarro y desapareció por la oscura boca, que la tragó, como un monstruo. Entonces, uno de los enmascarados se acercó a la ventana y la abrió lentamente, procurando no hacer ruido. Una ráfaga de viento apagó el candil, dejando la habitación a oscuras. Sólo se distinguía el fulgor rojo, sangriento de la brasa, y la diabólica fosforencia de las pupilas del gato, que balanceaba dulcemente la cola adormilado sobre la caldeada piedra del hogar. De repente reinó un profundo silencio. Una voz murmuró muy bajo:

—¡No pasa un alma!

—Pues andando...

Buscaron a tientas la puerta y desaparecieron como sombras. En la escalerilla de la bodega resonaban ya las pisadas de los huéspedes. Sabel venía delante y se detuvo, sin atreverse a andar en la oscuridad. Por la ventana que los otros habían dejado abierta alcanzaba a ver el cielo anubarrado y el camino blanco por la nieve, sobre el cual caía trémulo y melancólico el lunar:

—¡Se han ido!

Y Sabel tuvo miedo sin saber por qué. El cura, que venía detrás con el farolillo, repuso jovial:

—¡Qué granujas! Ya volverán.

¿Cómo no habían de volver? Allí en medio de la cocina estaba el rey, grotesco en su inmóvil gravedad, con su corona de papel, su cetro de caña, el blanco manto de estopa, la bufonesca faz de cartón... Sabel, ya repuesta, adelantó algunos pasos y le acercó el jarro a los labios:

—¿Quieres beber, señor rey?

Al separarlo, después de un segundo, la careta se
corrió hacia abajo, descubriendo una frente amarilla.
unos ojos vidriados, pavorosos, horribles:

—¡María Santísima!

Y la moza, horrorizada, retrocedió hasta tropezar
con la pared. El cura la increpó:

—¡Qué damita eres tú!

—No..., no..., señor tío... ¡Pero es un difunto!

Y, estrechándose contra el viejo, se aproximaba
palpitante, con ese miedo de las mujeres aldeanas
que las impulsa a mirar, a acercarse, en vez de ce-
rrar los ojos y de huir. El párroco tiró de la careta
con resolución. Luego alzó el farol, proyectando la
luz sobre el inmóvil y blanco enmascarado. Le contempló atentamente, dilatados los ojos por ávida
mirada de estupor, y bajando el farolillo, que temblaba en su mano agitada por bailoteo senil, murmuró en voz demudada y ronca:

—¿Tú le conoces, muchacha?

Ella respondió:

—Es el señor abad de Bradomín.

—Sí... Mañana le aplicaremos la misa por el alma.
Sabel temblaba con todos sus miembros, y gemía
preguntando qué hacían, lamentando su mala estrella, lo que iba a ser de ellos si la justicia se enteraba:

—¡Tío..., señor tío! Podemos avisar en el molino.

El cura meditó un momento:

—No; ahí menos que en ninguna parte. Me parece
que conocí a los dos hijos del molinero. Pero podemos enterrarlo en el corral, junto a los naranjos.

—¿Y si lo descubren los perros como al criado del
vinculero de Sobrán? ¿No se recuerda?

—Pues con él aquí no hemos de estarnos. ¿Hay
tojo?

—Alguno hay.

Entonces el párroco fue a la ventana y la cerró, cuidando de poner la tranca, y lo mismo hizo con la puerta.

—Ahora cumple hacer callar a ese perro. Al que llame no se le contesta. ¡Así se hunda la casa! ¿Entiendes?

Quitóse el levitón, y empuñando una horquilla bajó a la bodega. A poco volvió con un inmenso haz de tojo y otro de paja. Los dejó caer de golpe delante de Sabel, que estaba acurrucada junto a la lumbre, gimiendo con la cara pegada a las rodillas, y la ordenó que pusiese fuego al horno. La rapaza se enderezó sumisa, sin dejar de temblar, pálida como un espectro... No tardaron las llamas, con música de chisporroteos y crujidos de leña seca, en cubrir la chata y negra boca del horno. Se alargaban llegando hasta el medio de la cocina, como una bocanada de aliento inflamado. Sus encendidos reflejos daban a la lívida faz del muerto apariencia de vida. El cura le desató de las angarillas, y haciendo a Sabel que se apartase, metióle de cabeza en el horno; pero como estaba rígido, fue preciso esperar a que se carbonizase el tronco para que el resto pudiese entrar. Cuando desaparecieron los pies, empujados por la horquilla con que el párroco atizaba la lumbre, Sabel, casi exánime, se dejó caer en el banco:

—¡Ay! ¡Nuestro Señor, qué cosa tan horrible!

El cura le dijo que si bebía un vaso de vino cobraría ánimo, y para darle ejemplo, se llevó el jarro a la boca, donde lo tuvo buen espacio. Sabel seguía lloriqueando:

—¡De por fuerza lo mataron para robarlo! Otra cosa no pudo ser. ¡Un bendito de Dios que con nadie se metía! ¡Bueno como el pan! ¡Respetuoso como un

alcalde mayor! ¡Caritativo como no queda otro ninguno! ¡Virgen Santísima, qué entrañas tan negras!
¡Madre Bendita del Señor!

De pronto cesó en su planto, se levantó, y con esa
previsión que nace de todo recelo, barrió la ceniza y
tapó la negra boca del horno, con las manos trémulas. El cura, sentado en el banco, picaba otro ci-
garrillo, y murmuraba con sombría calma:

— ¡Pobre Bradomín!... ¡Válate Dios la hornada!

MI HERMANA ANTONIA

I.— ¡Santiago de Galicia ha sido uno de los santuarios del mundo, y las almas todavía guardan allí los ojos atentos para el milagro!...

II.—Una tarde, mi hermana Antonia me tomó de la mano para llevarme a la catedral. Antonia tenía muchos años más que yo. Era alta y pálida, con los ojos negros y la sonrisa un poco triste. Murió siendo yo niño. ¡Pero cómo recuerdo su voz y su sonrisa y el hielo de su mano cuando me llevaba por las tardes a la catedral!... Sobre todo, recuerdo sus ojos y la llama luminosa y trágica con que miraba a un estudiante que paseaba en el atrio, embozado en una capa azul. Aquel estudiante a mí me daba miedo. Era alto y cenceño, con cara de muerto y ojos de tigre, unos ojos terribles bajo el entrecejo fino y duro. Para que fuese mayor su semejanza con los muertos, al andar le crujían los huesos de la rodilla. Mi madre le odiaba, y por no verle, tenía cerradas las ventanas de nuestra casa, que daban al Atrio de las Platerías. Aquella tarde recuerdo que paseaba, como todas las tardes, embozado en su capa azul. Nos alcanzó en la puerta de la catedral, y sacando por debajo del embozo su mano de esqueleto, tomó agua bendita y se la ofreció a mi hermana, que temblaba. Antonia le dirigió una mirada de súplica, y él murmuró con una sonrisa:

—¡Estoy desesperado!

III.—Entramos en una capilla, donde algunas viejas rezaban las Cruces. Es una capilla grande y oscura, con su tarima llena de ruidos bajo la bóveda románica. Cuando yo era niño, aquella capilla tenía para mí una sensación de paz campesina. Me daba un goce de sombra como la copa de un viejo castaño, como las parras delante de algunas puertas, como una cueva de ermitaño en el monte. Por las tardes siempre había corro de viejas rezando las Cruces. Las voces, fundidas en un murmullo de fervor, abríanse bajo las bóvedas y parecían iluminar las rosas de la vidriera como el sol poniente. Sentíase un vuelo de oraciones glorioso y gangoso, y un sordo arrastrarse sobre la tarima, y una campanilla de plata agitada por el niño acólito, mientras levanta su vela encendida, sobre el hombro del capellán, que deletrea en su breviario la Pasión. ¡Oh, Capilla de la Corticela, cuándo esta alma mía, tan vieja y tan cansada, volverá a sumergirse en tu sombra balsámica!

IV.—Lloviznaba, anochecido, cuando atravesábamos el atrio de la catedral para volver a casa. En el zaguán, como era grande y oscuro, mi hermana debió de tener miedo, porque corría al subir las escaleras, sin soltarme la mano. Al entrar vimos a nuestra madre que cruzaba la antesala y se desvanecía por una puerta. Yo, sin saber por qué lleno de curiosidad y de temor, levanté los ojos mirando a mi hermana, y ella, sin decir nada, se inclinó y me besó. En medio de una gran ignorancia de la vida, adiviné el secreto de mi hermana Antonia. Lo sentí pesar sobre mí como pecado mortal, al cruzar aquella antesala donde ahumaba un quinqué de petróleo que tenía el tubo roto. La llama hacía dos cuernos, y me recordaba al Diablo. Por la noche, acostado y a oscuras, esta semejanza se agrandó dentro de mí sin dejarme dormir, y volvió a turbarme otras muchas noches.

V.—Siguieron algunas tardes de lluvia. El estudiante paseaba en el atrio de la catedral durante los escampos, pero mi hermana no salía para rezar las Cruces. Yo, algunas veces, mientras estudiaba mi lección en la sala llena de aroma de las rosas marchitas, entornaba una ventana para verle. Paseaba solo, con una sonrisa crispada, y al anochecer su aspecto de muerto era tal, que daba miedo. Yo me retiraba temblando de la ventana, pero seguía viéndole, sin poder aprenderme la lección. En la sala grande, cerrada y sonora, sentía su andar con crujir de canillas y choquezuelas... Maullaba el gato tras de la puerta, y me parecía que conformaba su maullido sobre el nombre del estudiante:

¡Máximo Bretal!

VI.—Bretal es un caserío en la montaña, cerca de Santiago. Los viejos llevan allí montera picuda y sayo de estameña, las viejas hilan en los establos por ser más abrigados que las casas, y el sacristán pone escuela en el atrio de la iglesia. Bajo su palmeta, los niños aprenden la letra procesal de alcaldes y escribanos, salmodiando las escrituras forales de una casa de mayorazgos ya deshecha. Máximo Bretal era de aquella casa. Vino a Santiago para estudiar Teología, y los primeros tiempos, una vie-

ja que vendía miel, traíale de su aldea el pan de
borona para la semana, y el tocino. Vivía con otros
estudiantes de clérigo en una posada donde sólo
pagaban la cama. Son éstos los seminaristas pobres
a quienes llaman códeos. Máximo Bretal ya tenía
Órdenes Menores cuando entró en nuestra casa para
ser mi pasante de Gramática Latina. A mi madre
se lo había recomendado como una obra de caridad
el cura de Bretal. Vino una vieja con cofia a darle
las gracias, y trajo de regalo un azafate de manzanas reinetas. En una de aquellas manzanas dijeron
después que debía de estar el hechizo que hechizó a
mi hermana Antonia.

VII.—Nuestra madre era muy piadosa y no creía
en agüeros ni brujerías, pero alguna vez lo aparen-
taba por disculpar la pasión que consumía a su hija.
Antonia, por entonces, ya comenzaba a tener un aire
del otro mundo, como el estudiante de Bretal. La
recuerdo bordando en el fondo de la sala, desvanecida como si la viese en el fondo de un espejo, toda
desvanecida, con sus movimientos lentos que parecían responder al ritmo de otra vida, y la voz apa-
gada, y la sonrisa lejana de nosotros. Toda blanca
y triste, flotante en un misterio crepuscular, y tan
pálida, que parecía tener cerco como la luna... ¡Y mi
madre, que levanta la cortina de una puerta, y la
mira, y otra vez se aleja sin ruido!

VIII.—Volvían las tardes de sol con sus tenues
oros, y mi hermana, igual que antes, me llevaba a
rezar con las viejas en la Capilla de la Corticela. Yo
temblaba de que otra vez se apareciese el estudiante
y alargase a nuestro paso su mano de fantasma, go-
teando agua bendita. Con el susto miraba a mi

hermana, y veía temblar su boca. Máximo Bretal, que estaba todas las tardes en el atrio, al acercarnos nosotros desaparecía, y luego, al cruzar las naves de la catedral, le veíamos surgir en la sombra de los arcos. Entrábamos en la capilla, y él se arrodillaba en las gradas de la puerta besando las losas donde acababa de pisar mi hermana Antonia. Quedaba allí arrodillado como el bulto de un sepulcro, con la capa sobre los hombros y las manos juntas. Una tarde, cuando salíamos, vi su brazo de sombra alargarse por delante de mí, y enclavijar entre los dedos un pico de la falda de Antonia:

—¡Estoy desesperado!... Tienes que oírme, tienes que saber cuánto sufro... ¿Ya no quieres mirarme?...

Antonia murmuró, blanca como una flor:

—¡Déjeme usted, Don Máximo!

—No te dejo. Tú eres mía, tu alma es mía... El cuerpo no lo quiero, ya vendrá por él la muerte. Mírame, que tus ojos se confiesen con los míos. ¡Mírame!

Y la mano de cera tiraba tanto de la falda de mi hermana, que la desgarró. Pero los ojos inocentes se confesaron con aquellos ojos claros y terribles. Yo, recordándolo, lloré aquella noche en la oscuridad, como si mi hermana se hubiera escapado de nuestra casa.

IX.—Yo seguía estudiando mi lección de latín en aquella sala, llena con el aroma de las rosas marchitas. Algunas tardes, mi madre entraba como una sombra y se desvanecía en el estrado. Yo la sentía suspirar hundida en un rincón del gran sofá de damasco carmesí, y percibía el rumor de su rosario. Mi madre era muy bella, blanca y rubia, siempre vestida de seda, con guante negro en una mano,

por la falta de dos dedos, y la otra, que era como
una camelia, toda cubierta de sortijas. Ésta fue
siempre la que besamos nosotros y la mano con que
ella nos acariciaba. La otra, la del guante negro,
solía disimularla entre el pañolito de encaje, y sólo
al santiguarse la mostraba entera, tan triste y tan
sombría sobre la albura de su frente, sobre la rosa
de su boca, sobre su seno de Madona Litta. Mi madre rezaba sumida en el sofá del estrado, y yo, para
aprovechar la raya de luz que entraba por los balcones entornados, estudiaba mi latín en el otro extremo, abierta la Gramática sobre uno de esos antiguos veladores con tablero de damas. Apenas se
veía en aquella sala de respeto, grande, cerrada y
sonora. Alguna vez, mi madre, saliendo de sus rezos,
me decía que abriese más el balcón. Yo obedecía en
silencio, y aprovechaba el permiso para mirar al
atrio, donde seguía paseando el estudiante, entre la
bruma del crepúsculo. De pronto, aquella tarde, estando mirándolo, desapareció. Volví a salmodiar mi
latín, y llamaron en la puerta de la sala. Era un
fraile franciscano, hacía poco llegado de Tierra
Santa.

X.—El Padre Bernardo en otro tiempo había sido
confesor de mi madre, y al volver de su peregri-
nación no olvidó traerle un rosario hecho con huesos de olivas del Monte Oliveto. Era viejo, pequeño, con la cabeza grande y calva; recordaba los
santos románicos del Pórtico de la Catedral. Aquella
tarde era la segunda vez que visitaba nuestra casa,
desde que estaba devuelto a su convento de Santiago. Yo, al verle entrar, dejé mi Gramática y corrí a
besarle la mano. Quedé arrodillado mirándole y es-

perando su bendición, y me pareció que hacía los
cuernos. ¡Ay, cerré los ojos, espantado de aquella
burla del Demonio! Con un escalofrío comprendí que
era asechanza suya, y como aquellas que traían las
historias de santos que yo comenzaba a leer en voz
alta delante de mi madre y de Antonia. Era una
asechanza para hacerme pecar, parecida a otra que
se cuenta en la vida de San Antonio de Padua. El
Padre Bernardo, que mi abuela diría un santo sobre
la tierra, se distrajo saludando a la oveja de otro
tiempo, y olvidó formular su bendición sobre mi
cabeza trasquilada y triste, con las orejas muy se-
paradas, como para volar. Cabeza de niño sobre
quien pesan las lúgubres cadenas de la infancia: El
latín de día, y el miedo a los muertos, de noche. El
fraile habló en voz baja con mi madre, y mi madre
levantó su mano del guante:

—¡Sal de aquí, niño!

XI.—Basilisa la Galinda, una vieja que había sido
nodriza de mi madre, se agachaba tras de la puerta.
La vi y me retuvo del vestido, poniéndome en la
boca su palma arrugada:

—No grites, picarito.

Yo la miré fijamente porque le hallaba un extraño
parecido con las gárgolas de la catedral. Ella, después de un momento, me empujó con blandura:

—¡Vete, neno!

Sacudí los hombros para desprenderme de su
mano, que tenía las arrugas negras como tiznes, y
quedé a su lado. Oíase la voz del franciscano:

—Se trata de salvar un alma...

Basilisa volvió a empujarme:

—Vete, que tú no puedes oir...

Y toda encorvada metía los ojos por la rendija de la puerta. Me agaché cerca de ella. Ya sólo me dijo estas palabras:

—¡No recuerdes más lo que oigas, picarito!

Yo me puse a reir. Era verdad que parecía una gárgola. No podía saber si perro, si gato, si lobo. Pero tenía un extraño parecido con aquellas figuras de piedra, asomadas o tendidas sobre el atrio, en la cornisa de la catedral.

XII.—Se oía conversar en la sala. Un tiempo largo la voz del franciscano:

—Esta mañana fue a nuestro convento un joven tentado por el Diablo. Me contó que había tenido la desgracia de enamorarse, y que desesperado, quiso tener la ciencia infernal... Siendo la medianoche había impetrado el poder del Demonio. El ángel malo se le apareció en un vasto arenal de ceniza, lleno con gran rumor de viento, que lo causaban sus alas de murciélago, al agitarse bajo las estrellas.

Se oyó un suspiro de mi madre:

—¡Ay Dios!

Proseguía el fraile.

—Satanás le dijo que le firmase un pacto y que le haría feliz en sus amores. Dudó el joven, porque tiene el agua del bautismo que hace a los cristianos, y le alejó con la cruz. Esta mañana, amaneciendo, llegó a nuestro convento, y en el secreto del confesonario me hizo su confesión. Le dije que renunciase a sus prácticas diabólicas, y se negó. Mis consejos no bastaron a persuadirle. ¡Es un alma que se condenará!...

Otra vez gimió mi madre:

—¡Prefería muerta a mi hija!

Y la voz del fraile, en un misterio de terror, proseguía:

—Muerta ella, acaso él triunfase del Infierno. Viva, quizá se pierdan los dos... No basta el poder de una pobre mujer como tú para luchar contra la ciencia infernal...

Sollozó mi madre:

—¡Y la gracia de Dios!

Hubo un largo silencio. El fraile debía de estar en oración meditando su respuesta. Basilisa la Galinda me tenía apretado contra su pecho. Se oyeron las sandalias del fraile, y la vieja me aflojó un poco los brazos para incorporarse y huir. Pero quedó inmóvil, retenida por aquella voz que luego sonó:

—La Gracia no está siempre con nosotros, hija mía. Mana como una fuente y se seca como ella. Hay almas que sólo piensan en su salvación, y nunca sintieron amor por las otras criaturas. Son las fuentes secas. Dime. ¿Qué cuidado sintió tu corazón al anuncio de estar en riesgo de perderse un cristiano? ¿Qué haces tú por evitar ese negro concierto con los poderes infernales? ¡Negarle tu hija para que la tenga de manos de Satanás!

Gritó mi madre:

—¡Más puede el Divino Jesús!

Y el fraile replicó con una voz de venganza:

—El amor debe ser por igual para todas las criaturas. Amar al padre, al hijo o al marido, es amar figuras de lodo. Sin saberlo, con tu mano negra también azotas la cruz como el estudiante de Bretal.

Debía de tener los brazos extendidos hacia mi madre. Después se oyó un rumor como si se alejase. Basilisa escapó conmigo, y vimos pasar a nuestro lado un gato negro. Al Padre Bernardo nadie le vio salir. Basilisa fue aquella tarde al convento, y vino contando que estaba en una misión, a muchas leguas.

XIII.—¡Cómo la lluvia azotaba los cristales y cómo era triste la luz de la tarde en todas las estancias!

Antonia borda cerca del balcón, y nuestra madre, recostada en el canapé, la mira fijamente, con esa mirada fascinante de las imágenes que tienen los ojos de cristal. Era un gran silencio en torno de nuestras almas, y sólo se oía el péndulo del reloj. Antonia quedó una vez soñando con la aguja en alto. Allá en el estrado suspiró nuestra madre, y mi hermana agitó los párpados como si despertase. Tocaban entonces todas las campanas de muchas iglesias. Basilisa entró con luces, miró detrás de las puertas y puso los tranqueros en las ventanas. Antonia volvió a soñar inclinada sobre el bordado. Mi madre me llamó con la mano, y me retuvo. Basilisa trajo su rueca, y sentóse en el suelo, cerca del canapé. Yo sentía que los dientes de mi madre hacían el ruido de una castañeta. Basilisa se puso de rodillas mirándola, y mi madre gimió:

—Echa el gato que araña bajo el canapé.

Basilisa se inclinó:

—¿Dónde está el gato? Yo no lo veo.

—¿Y tampoco lo sientes?

Replicó la vieja, golpeando con la rueca:

—¡Tampoco lo siento!

Gritó mi madre:

—¡Antonia! ¡Antonia!

—¡Ay, diga, señora!

—¿En qué piensas?

—¡En nada, señora!

—¿Tú oyes cómo araña el gato?

Antonia escuchó un momento:

—¡Ya no araña!

Mi madre se estremeció toda:

—Araña delante de mis pies, pero tampoco lo veo.

Crispaba los dedos sobre mis hombros. Basilisa quiso acercar una luz, y se le apagó en la mano bajo una ráfaga que hizo batir todas las puertas. Entonces, mientras nuestra madre gritaba, sujetando a mi hermana por los cabellos, la vieja, provista de una rama de olivo, se puso a rociar agua bendita por los rincones.

XIV.—Mi madre se retiró a su alcoba, sonó la campanilla y acudió corriendo Basilisa. Después, Antonia abrió el balcón y miró a la plaza con ojos de sonámbula. Se retiró andando hacia atrás, y luego escapó. Yo quedé solo, con la frente pegada a los cristales del balcón, donde moría la luz de la tarde. Me pareció oir gritos en el interior de la casa, y no osé moverme, con la vaga impresión de que eran aquellos gritos algo que yo debía ignorar por ser niño. Y no me movía del hueco del balcón, devanando un razonar medroso y pueril, todo confuso con aquel nebuloso recordar de represiones bruscas y de encierros en una sala oscura. Era como envoltura de mi alma, esa memoria dolorosa de los niños precoces, que con los ojos agrandados oyen las conversaciones de las viejas y dejan los juegos por oírlas. Poco a poco cesaron los gritos, y cuando la casa quedó en silencio escapé de la sala. Saliendo por una puerta encontré a la Galinda:

—¡No barulles, picarito!

Me detuve sobre la punta de los pies ante la alcoba de mi madre. Tenía la puerta entornada, y llegaba de dentro un murmullo apenado y un gran olor

de vinagre. Entré por el entorno de la puerta, sin
moverla y sin ruido. Mi madre estaba acostada, con
muchos pañuelos a la cabeza. Sobre la blancura de
la sábana destacaba el perfil de su mano en el guante negro. Tenía los ojos abiertos, y al entrar yo los
giró hacia la puerta, sin remover la cabeza:

—¡Hijo mío, espántame ese gato que tengo a los
pies!

Me acerqué, y saltó al suelo un gato negro, que
salió corriendo. Basilisa la Galinda, que estaba en
la puerta, también lo vio, y dijo que yo había podido
espantarlo porque era un inocente.

XV.—Y recuerdo a mi madre un día muy largo,
en la luz triste de una habitación sin sol, que tiene
las ventanas entornadas. Está inmóvil en su sillón,
con las manos en cruz, con muchos pañuelos a la
cabeza y la cara blanca. No habla, y vuelve los ojos
cuando otros hablan y mira fija, imponiendo silencio.
Es aquel un día sin horas, todo en penumbra de
media tarde. Y este día se acaba de repente, porque
entran con luces en la alcoba. Mi madre está dando
gritos:

—¡Ese gato!... ¡Ese gato!... ¡Arrancármelo, que se
me cuelga a la espalda!

Basilisa la Galinda vino a mí, y con mucho misterio me empujó hacia mi madre. Se agachó y me
habló al oído, con la barbeta temblona, rozándome
la cara con sus lunares de pelo.

—¡Cruza las manos!

Yo crucé las manos, y Basilisa me las impuso sobre
la espalda de mi madre. Me acosó después en voz
baja:

—¿Qué sientes, neno?

Respondí asustado, en el mismo tono que la vieja:

—¡Nada!... No siento nada, Basilisa.

—¿No sientes como lumbre?

—No siento nada, Basilisa.

—¿Ni los pelos del gato?

—¡Nada!

Y rompí a llorar, asustado por los gritos de mi madre. Basilisa me tomó en brazos y me sacó al corredor:

—¡Ay, picarito, tú has cometido algún pecado, por eso no pudiste espantar al enemigo malo!

Se volvió a la alcoba. Quedé en el corredor, lleno de miedo y de angustia, pensando en mis pecados de niño. Seguían los gritos en la alcoba, e iban con luces por toda la casa.

XVI.—Después de aquel día tan largo, es una noche también muy larga, con luces encendidas delante de las imágenes y conversaciones en voz baja, sostenidas en el hueco de las puertas que rechinan al abrirse. Yo me senté en el corredor, cerca de una mesa donde había un candelero con dos velas, y me puse a pensar en la historia del Gigante Goliat. Antonia, que pasó con el pañuelo sobre los ojos, me dijo con una voz de sombra:

—¿Qué haces ahí?

—Nada.

—¿Por qué no estudias?

La miré asombrado de que me preguntase por qué no estudiaba, estando enferma nuestra madre. Antonia se alejó por el corredor, y volví a pensar en la historia de aquel gigante pagano que pudo morir de un tiro de piedra. Por aquel tiempo, nada admiraba tanto como la destreza con que manejó la honda el niño David. Hacía propósito de ejercitarme en ella cuando saliese de paseo por la orilla del río. Tenía

como un vago y novelesco presentimiento de poner
mis tiros en la frente pálida del estudiante de Bretal.
Y volvió a pasar Antonia con un braserillo donde se
quemaba espliego:

—¿Por qué no te acuestas, niño?

Y otra vez se fue corriendo por el corredor. No me
acosté, pero me dormí con la cabeza apoyada en
la mesa.

XVII.—No sé si fue una noche, si fueron muchas,
porque la casa estaba siempre oscura y las luces encendidas ante las imágenes. Recuerdo que entre sueños oía los gritos de mi madre, las conversaciones
misteriosas de los criados, el rechinar de las puertas
y una campanilla que pasaba por la calle. Basilisa la
Galinda venía por el candelero, se lo llevaba un momento y lo traía con dos velas nuevas, que apenas
alumbraban. Una de estas veces, al levantar la sien
de encima de la mesa, vi a un hombre en mangas
de camisa que estaba cosiendo, sentado al otro lado.
Era muy pequeño, con la frente calva y un chaleco
encarnado. Me saludó sonriendo:

—¿Se dormía, estudioso, puez?

Basilisa espabiló las velas:

—¿No te recuerdas de mi hermano, picarito?

Entre las nieblas del sueño, recordé al señor Juan
de Alberte. Le había visto algunas tardes que me
llevó la vieja a las torres de la catedral. El hermano
de Basilisa cosía bajo una bóveda, remendando so-
tanas. Suspiró la Galinda:

—Está aquí para avisar los óleos en la Corticela.

Yo empecé a llorar, y los dos viejos me dijeron
que no hiciese ruido. Se oía la voz de mi madre:

—¡Espantarme ese gato! ¡Espantar ese gato!

Basilisa la Galinda entra en aquella alcoba, que estaba al pie de la escalera del fayado, y sale con una cruz de madera negra. Murmura unas palabras oscuras, y me santigua por el pecho, por la espalda y por los costados. Después, me entrega la cruz, y ella toma las tijeras de su hermano, esas tijeras de sastre, grandes y mohosas, que tienen un son de hierro al abrirse:

—Habemos de libertarla, como pide...

Me condujo por la mano a la alcoba de mi madre, que seguía gritando:

—¡Espantarme ese gato! ¡Espantarme ese gato!

Sobre el umbral me aconsejó en voz baja:

—Llega muy paso y pon la cruz sobre la almohada... Yo quedo aquí en la puerta.

Entré en la alcoba. Mi madre estaba incorporada, con el pelo revuelto, las manos tendidas y los dedos abiertos como garfios. Una mano era negra y otra blanca. Antonia la miraba, pálida y suplicante. Yo pasé rodeando, y vi de frente los ojos de mi hermana, negros, profundos y sin lágrimas. Me subí a la cama sin ruido, y puse la cruz sobre las almohadas. Allá en la puerta, toda encogida sobre el umbral, estaba Basilisa la Galinda. Sólo la vi un momento, mientras trepé a la cama, porque apenas puse la cruz en las almohadas, mi madre empezó a retorcerse, y un gato negro escapó de entre las ropas hacia la puerta. Cerré los ojos, y con ellos cerrados, oí sonar las tijeras de Basilisa. Después la vieja llegóse a la cama donde mi madre se retorcía, y me sacó en brazos de la alcoba. En el corredor, cerca de la mesa que tenía detrás la sombra enana del sastre, a la luz de las velas, enseñaban dos recortes negros que le manchaban las manos de sangre, y

decía que eran las orejas del gato. Y el viejo se
ponía la capa, para avisar los santos óleos.

XVIII.—Llenóse la casa de olor de cera y murmullo de gente que reza en confuso son... Entró un
clérigo revestido, andando de prisa, con una mano de
perfil sobre la boca. Se metía por las puertas guiado
por Juan de Alberte. El sastre, con la cabeza vuelta,
corretea tieso y enano, arrastra la capa y mece en
dos dedos, muy gentil, la gorra por la visera, como
hacen los menestrales en las procesiones. Detrás seguía un grupo oscuro y lento, rezando en voz baja.
Iba por el centro de las estancias, de una puerta a
otra puerta, sin extenderse. En el corredor se arrodi-
llaron algunos bultos, y comenzaron a desgranarse
las cabezas. Se hizo una fila que llegó hasta las puertas abiertas de la alcoba de mi madre. Dentro, con
mantillas y una vela en la mano, estaban arrodilla-
das Antonia y la Galinda. Me fueron empujando
hacia delante algunas manos que salían de los manteos oscuros, y volvían prestamente a juntarse sobre
las cruces de los rosarios. Eran las manos sarmentosas de las viejas que rezaban en el corredor, ali-
neadas a lo largo de la pared, con el perfil de la
sombra pegado al cuerpo. En la alcoba de mi madre,
una señora llorosa que tenía un pañuelo perfumado,
y me pareció toda morada como una dalia con el
hábito nazareno, me tomó de la mano y se arrodilló
conmigo, ayudándome a tener una vela. El clérigo
anduvo en torno de la cama, con un murmullo latino,
leyendo en su libro...

Después alzaron las coberturas y descubrieron los
pies de mi madre rígidos y amarillentos. Yo comprendí que estaba muerta, y quedé aterrado y silencioso entre los brazos tibios de aquella señora tan

hermosa, toda blanca y morada. Sentía un terror de gritar, una prudencia helada, una aridez sutil, un recato perverso de moverme entre los brazos y el seno de aquella dama toda blanca y morada, que inclinaba el perfil del rostro al par de mi mejilla y me ayudaba a sostener la vela funeraria.

XIX.—La Galinda vino a retirarme de los brazos de aquella señora, y me condujo al borde de la cama donde mi madre estaba yerta y amarilla, con las manos arrebujadas entre los pliegues de la sábana. Basilisa me alzó del suelo para que viese bien aquel rostro de cera:

—Dile adiós, neno. Dile: Adiós, madre mía, más no te veré.

Me puso en el suelo la vieja, porque se cansaba, y después de respirar, volvió a levantarme metiendo bajo mis brazos sus manos sarmentosas:

—¡Mírala bien! Guarda el recuerdo para cuando seas mayor... Bésala, neno.

Y me dobló sobre el rostro de la muerta. Casi rozando aquellos párpados inmóviles, empecé a gritar, revolviéndome entre los brazos de la Galinda. De pronto, con el pelo suelto, al otro lado de la cama aparecióse Antonia. Me arrebató a la vieja criada y me apretó contra el pecho sollozando y ahogándose. Bajo los besos acongojados de mi hermana, bajo la mirada de sus ojos enrojecidos, sentí un gran desconsuelo... Antonia estaba yerta, y llevaba en la cara una expresión de dolor extraño y obstinado. Ya en otra estancia, sentada en una silla baja, me tiene sobre su falda, me acaricia, vuelve a besarme sollozando, y luego, retorciéndome una mano, ríe, ríe, ríe... Una señora le da aire con su pañolito; otra,

con los ojos asustados, destapa un pomo; otra entra
por una puerta con un vaso de agua, tembloroso en
la bandeja de metal.

XX.—Yo estaba en un rincón, sumido en una pena
confusa, que me hacía doler las sienes como la angustia del mareo. Lloraba a ratos y a ratos me distraía oyendo otros lloros. Debía de ser cerca de medianoche cuando abrieron de par en par una puerta,
y temblaron en el fondo las luces de cuatro velas.
Mi madre estaba amortajada en su caja negra. Yo
entré en la alcoba sin ruido, y me senté en el hueco
de la ventana. Alrededor de la caja velaban tres
mujeres y el hermano de Basilisa. De tiempo en tiempo el sastre se levantaba y escupía en los dedos para
espabilar las velas. Aquel sastre enano y garboso,
del chaleco encarnado, tenía no sé qué destreza bufonesca al arrancar el pabilo e inflar los carrillos
soplándose los dedos.

Oyendo los cuentos de las mujeres, poco a poco
fui dejando de llorar. Eran relatos de aparecidos y
de personas enterradas vivas.

XXI.—Rayando el día, entró en la alcoba una señora muy alta, con los ojos negros y el cabello blanco. Aquella señora besó a mi madre en los ojos mal
cerrados, sin miedo al frío de la muerte y casi sin
llorar. Después se arrodilló entre dos cirios y mojaba
en agua bendita una rama de olivo y la sacudía sobre
el cuerpo de la muerta. Entró Basilisa buscándome
con la mirada, y alzó la mano llamándome:

—¡Mira la abuela, picarito!

¡Era la abuela! Había venido en una mula desde
su casa de la montaña, que estaba a siete leguas de
Santiago. Yo sentía en aquel momento un golpe de

herraduras sobre las losas del zaguán donde la mula
había quedado atada. Era un golpe que parecía re-
sonar en el vacío de la casa llena de lloros. Y me
llamó desde la puerta mi hermana Antonia:

—¡Niño! ¡Niño!

Salí muy despacio, bajo la recomendación de la
vieja criada. Antonia me tomó de la mano y me llevó
a un rincón.

—¡Esa señora es la abuela! En adelante viviremos
con ella.

Yo suspiré:

—¿Y por qué no me besa?

Antonia quedó un momento pensativa, mientras
se enjugaba los ojos:

—¡Eres tonto! Primero tiene que rezar por mamá.

Rezó mucho tiempo. Al fin se levantó preguntando por nosotros, y Antonia me arrastró de la mano.
La abuela ya llevaba un pañuelo de luto sobre el
crespo cabello, todo de plata, que parecía realzar el
negro fuego de los ojos. Sus dedos rozaron levemente mi mejilla, y todavía recuerdo la impresión que
me produjo aquella mano de aldeana, áspera y sin
ternura. Nos habló en dialecto:

—Murió la vuestra madre y ahora la madre lo
seré yo... Otro amparo no tenéis en el mundo... Os
llevo conmigo porque esta casa se cierra. Mañana,
después de las misas, nos pondremos al camino.

XXII.—Al día siguiente mi abuela cerró la casa,
y nos pusimos en camino para San Clemente de
Brandeso. Ya estaba yo en la calle montado en la
mula de un montañés que me llevaba delante en el
arzón, y oía en la casa batir las puertas, y gritar
buscando a mi hermana Antonia. No la encontraban,
y con los rostros demudados salían a los balcones, y

tornaban a entrarse y a correr las estancias vacías,
donde andaba el viento a batir las puertas, y las
voces gritando por mi hermana. Desde la puerta
de la catedral una beata la descubrió desmayada en
el tejado. La llamamos y abrió los ojos bajo el sol
matinal, asustada como si despertase de un mal
sueño. Para bajarla del tejado, un sacristán con so-
tana y en mangas de camisa saca una larga escalera. Y cuando partíamos, se apareció en el atrio,
con la capa revuelta por el viento, el estudiante de
Bretal. Llevaba a la cara una venda negra y bajo
ella creí ver el recorte sangriento de las orejas reba-
nadas a cercén.

XXIII.—En Santiago de Galicia, como ha sido uno
de los santuarios del mundo, las almas todavía con-
servan los ojos abiertos para el milagro.

DEL MISTERIO

¡Hay también un demonio familiar! Yo recuerdo que, cuando era niño, iba todas las noches a la tertulia de mi abuela una vieja que sabía estas cosas medrosas y terribles del misterio. Era una señora linajuda y devota que habitaba un caserón en la Rúa de los Plateros. Recuerdo que se pasaba las horas haciendo calceta tras los cristales de su balcón, con el gato en la falda. Doña Soledad Amarante era alta, consumida, con el cabello siempre fosco, manchado por grandes mechones blancos, y las mejillas descarnadas, esas mejillas de dolorida expresión que parecen vivir huérfanas de besos y de caricias. Aquella señora me infundía un vago terror, porque contaba que en el silencio de las altas horas oía el vuelo de las almas que se van, y que evocaba en el fondo de los espejos los rostros lívidos que miran con ojos agónicos. No, no olvidaré nunca la impresión que me causaba verla llegar al comienzo de la noche y sentarse en el sofá del estrado al par de mi abuela. Doña Soledad extendía un momento sobre el brasero las manos sarmentosas, luego sacaba la calceta de una bolsa de terciopelo carmesí y comenzaba la tarea. De tiempo en tiempo solía lamentarse:

—¡Ay Jesús!

Una noche llegó. Yo estaba medio dormido en el regazo de mi madre, y, sin embargo, sentí el peso magnético de sus ojos que me miraban. Mi madre también debió de advertir el maleficio de aquellas pupilas, que tenían el venenoso color de las turquesas, porque sus brazos me estrecharon más. Doña Soledad tomó asiento en el sofá, y en voz baja hablaron ella y mi abuela. Yo sentía la respiración anhelosa de mi madre, que las observaba queriendo adivinar sus palabras. Un reloj dio las siete. Mi abuela se pasó el pañuelo por los ojos, y con la voz un poco insegura le dijo a mi madre:

—¿Por qué no acuestas a ese niño?

Mi madre se levantó conmigo en brazos, y me llevó al estrado para que besase a las dos señoras. Yo jamás sentí tan vivo el terror de Doña Soledad. Me pasó una mano de momia por la cara y me dijo:

—¡Cómo te le pareces!

Y mi abuela murmuró al besarme:

—¡Reza por él, hijo mío!

Hablaban de mi padre, que estaba preso por legitimista en la cárcel de Santiago. Yo, conmovido, escondí la cabeza en el hombro de mi madre, que me estrechó con angustia:

—¡Pobres de nosotros, hijo!

Después me sofocó con sus besos, mientras sus ojos, aquellos ojos tan bellos, se abrían sobre mí enloquecidos, trágicos:

—¡Hijo de mi alma, otra nueva desgracia nos amenaza!

Doña Soledad dejó un momento la calceta y murmuró con la voz lejana de una sibila:

—A tu marido no le ocurre ninguna desgracia.

Y mi abuela suspiró:

—Acuesta al niño.

Yo lloré aferrando los brazos al cuello de mi madre:

—¡No quiero que me acuesten! Tengo miedo de quedarme solo. ¡No quiero que me acuesten!...

Mi madre me acarició con una mano nerviosa, que casi me hacía daño, y luego, volviéndose a las dos señoras, suplicó sollozante:

—¡No me atormenten! Díganme qué le sucede a mi marido. Tengo valor para saberlo todo.

Doña Soledad alzó sobre nosotros la mirada, aquella mirada que tenía el color maléfico de las turquesas, y habló con la voz llena de misterio, mientras sus dedos de momia movían las agujas de la calceta:

—¡Ay Jesús!... A tu marido nada le sucede. Tiene un demonio que le defiende. Pero ha derramado sangre...

Mi madre repitió en voz baja y monótona, como si el alma estuviese ausente:

—¿Ha derramado sangre?

Esta noche huyó de la cárcel matando al carcelero. Lo he visto en mi sueño.

Mi madre reprimió un grito y tuvo que sentarse para no caer. Estaba pálida, pero en sus ojos había el fuego de una esperanza trágica. Con las manos juntas interrogó:

—¿Se ha salvado?

—No sé.

—¿Y no puede usted saberlo?

—Puedo intentarlo.

Hubo un largo silencio. Yo temblaba en el regazo de mi madre, con los ojos asustados puestos en Doña Soledad. La sala estaba casi a oscuras. En la calle cantaba el violín de un ciego, y el esquilón de las monjas volteaba anunciando la novena. Doña Soledad se levantó del sofá y andando sin ruido la vimos alejarse hacia el fondo de la sala, donde su sombra casi se desvaneció. Advertíase apenas la figura negra y la blancura de las manos inmóviles, en alto. Al poco comenzó a gemir débilmente, como si soñase. Yo, lleno de terror, lloraba quedo, y mi madre, oprimiéndome la boca, me decía ronca y trastornada:

—Calla, que vamos a saber de tu padre.

Yo me limpiaba las lágrimas para seguir viendo en la sombra la figura de Doña Soledad. Mi madre interrogó con la voz resuelta y sombría:

—¿Puede verle?

—Sí... Corre por un camino lleno de riesgos, ahora solitario. Va solo por él... Nadie le sigue. Se ha detenido en la orilla de un río y teme pasarlo. Es un río como un mar...

—¡Virgen mía, que no lo pase!

—En la otra orilla hay un bando de palomas blancas.

—¿Está en salvo?

—Sí... Tiene un demonio que le protege. La sombra del muerto no puede nada contra él. La sangre que derramó su mano, yo la veo caer gota a gota sobre una cabeza inocente...

Una puerta batió lejos. Todos sentimos que alguien entraba en la sala. Mis cabellos se erizaron. Un aliento frío me rozó la frente, y los brazos invisibles de un fantasma quisieron arrebatarme del regazo de mi madre. Me incorporé asustado, sin poder gritar, y en el fondo nebuloso de un espejo vi los ojos de la muerte y surgir poco a poco la mate lividez del rostro, y la figura con sudario y un puñal en la garganta sangrienta. Mi madre, asustada viéndome temblar, me estrechaba contra su pecho. Yo le mostré el espejo, pero ella no vio nada. Doña Soledad dejó caer los brazos, hasta entonces inmó-

viles en alto, y desde el otro extremo de la sala,
saliendo de las tinieblas como de un sueño, vino
hacia nosotros. Su voz de sibila parecía venir también de muy lejos:

— ¡Ay Jesús! Sólo los ojos del niño le han visto.
La sangre cae gota a gota sobre la cabeza inocente.
Vaga en torno suyo la sombra vengativa del muerto. Toda la vida irá tras él. Hallábase en pecado
cuando dejó el mundo, y es una sombra infernal.
No puede perdonar. Un día desclavará el puñal que
lleva en la garganta para herir al inocente.

Mis ojos de niño conservaron mucho tiempo el
espanto de lo que entonces vieron, y mis oídos han
vuelto a sentir muchas veces las pisadas del fantasma que camina a mi lado implacable y funesto,
sin dejar que mi alma, toda llena de angustia, toda
rendida al peso de torvas pasiones y anhelos purí-
simos, se asome fuera de la torre, donde sueña cautiva hace treinta años. ¡Ahora mismo estoy oyendo
las silenciosas pisadas del Alcaide Carcelero!

A MEDIANOCHE

Corren jinete y espolique entre una nube de polvo. En la lejanía son apenas dos bultos que se destacan por oscuro sobre el fondo sangriento del ocaso. La hora, el sitio y lo solitario del camino, ayudan al misterio de aquellas sombras fugitivas. En una encrucijada el jinete tiró de las riendas al caballo y lo paró, dudando entre tomar el camino de ruedas o el de herradura. El espolique, que corría delante, parándose a su vez y mirando alternativamente a una y otra senda, interrogó:

—¿Por dónde echamos, mi amo?

El jinete dudó un instante antes de decidirse, y después contestó:

—Por donde sea más corto.

—Como más corto es por el monte. Pero por el camino real se evita pasar de noche la robleda del molino... ¡Tiene una fama!...

Volvió a sus dudas el de a caballo, y tras un momento de silencio a preguntar:

—¿Qué distancia hay por el monte?

—Habrá como cosa de unas tres leguas.

—¿Y por el camino real?

—Pues habrá como cosa de cinco.

El jinete dejó de refrenar el caballo:

—¡Por el monte!

Y sin detenerse echó por el viejo camino que serpentea a través del descampado donde apenas crece una yerba desmedrada y amarillenta. A lo lejos, confusas bandadas de vencejos revoloteaban sobre la laguna pantanosa. El mozo, que se había quedado un tanto atrás observando el aspecto del cielo y el dilatado horizonte donde aparecían ya muy desvaídos los arreboles del ocaso, corrió a emparejarse con el jinete:

—¡Pique bien, mi amo! Si pica puede ser que aún tengamos luna para pasar la robleda.

Pronto se perdieron en una revuelta, entre los álamos que marcan la línea irregular del río. Cerró la noche y comenzó a ventar en ráfagas que pasaban veloces y roncas, inclinando los árboles sobre el camino, con un largo murmullo de todas sus hojas. Jinete y espolique corrieron mucho tiempo en la oscuridad profunda de una noche sin estrellas. Ya se percibía el rumor de la corriente que alimenta el molino y la masa oscura del robledal, cuando el mozo advirtió en voz baja:

—Mi amo, vaya prevenido por lo que pueda saltar.

—No hay cuidado.

—Y bien que le hay. Una vez, era uno así de la misma conformidad, porque tampoco tenía temor, y en la misma puente le salieron dos hombres y robáronle, y no lo mataron por milagro divino.

—Esos son cuentos.

—¡Tan cierto como que todos nos hemos de morir!

El jinete guardó silencio. Percibíase más cerca el rumor de la corriente aprisionada en los viejos dornajos del molino; era un rumor lleno de vaguedad y de misterio que tan pronto fingía alarido de can que ventea la muerte como un gemido de hombre a quien quitan la vida. El espolique corría al flanco del

caballo. Allá en la hondonada recortaba su oscura
silueta una iglesia cuyas campanas sonaban lentamente con el toque del nublado. El jinete murmuró:

—Ya estamos cerca de la rectoral.

Y respondió el espolique:

—Engaña mucho la luna, mi amo.

De pronto moviéronse las zarzas de un seto sepa-
radas con fuerza, y una sombra saltó en mitad del
camino.

—¡Alto! La bolsa o la vida.

Encabritóse el caballo, y el resplandor de un fo-
gonazo iluminó con azulada vislumbre el rostro zaíno
y barbinegro de un hombre que tenía asidas las riendas y que se tambaleó y cayó pesadamente. El espolique inclinóse a mirarle, y creyó reconocerle.

—Mi amo, paréceme el Chipén.

—¿Quién dices?

—El hijo del molinero.

—¡Dios le haya perdonado!

—¡Amén!

—¿Tú le conocías?

—¡Era mismamente un Satanás!

Estaba tendido en medio del camino. Tenía una
hoz asida con la diestra, descalzos los pies que parecían de cera, la boca llena de tierra y chamuscada
la barba. Un hilo de sangre le corría de la frente. El
jinete, afirmándose en la silla, le hincó las espuelas
al caballo, que temblaba, y le hizo saltar por encima.
El espolique le siguió. Chispearon bajo los cascos las
piedras del camino, y amo y criado se perdieron
en la oscuridad. Pronto descubrieron el molino en
un claro del ramaje que iluminaba la luna. Era de
aspecto sospechoso y estaba situado en una revuelta. Sentada en el umbral dormitaba una vieja tocada

con el mantelo. Parecía hallarse en espera. El espolique la interrogó azorado:

—¿Lleva agua la presa?

La vieja se incorporó sobresaltada:

—Agua no falta, hijo.

—¿A quién aguarda?

—A nadie... Salime un momento hace, por tomar la luna. Tengo molienda para toda la noche y hay que velar.

—¿No está el pariente?

—No está. Fuese a la villa para cumplir con la señora, mi ama, a quien pagamos un foro de doce ferrados de trigo y doce de centeno.

—¿Y el rapaz?

—Marchóse anochecido. ¡Cosas de rapaces! Pidióle relación a una moza de la aldea y tiene con ella parrafeo todas las noches.

—Bien dice. ¡Cosas de rapaces!

—Aquí estoy esperándole.

—Espérele muy dichosa.

Y el espolique se alejó corriendo para dar alcance al jinete. Emparejóse y siguió jadeante al flanco del caballo:

—¡No me andaba engañado, mi amo!

—Parece que no.

—¡Era aquel que dije!...

—¡Y la madre esperándole!...

Callaron con las almas sobresaltadas y cubiertas de misterio. Habían dejado el camino de herradura por otro de ruedas cuando se cruzaron con un arriero que iba medio dormido sobre su mula, arrebujado en una manta. Apartados sobre la orilla del camino secretearon amo y criado:

—Madruga la gente de la feria...

—Nos exponemos a un mal encuentro.

—Eso pensaba, mi amo.

—Tú, ahora te vuelves con el caballo. Yo tomo la barca.

—¿Y si no se atopan allí los mozos de la partida?

—Estará, cuando menos, Don Ramón María. ¿No te ha dicho que me esperaba?

—Eso díjome, sí, señor.

—¿Qué hora será?

—Cuando cruzamos la aldea ya cantaban los gallos.

—Aún hay tres horas de noche.

—Eso habrá. ¿Conoce el camino?

—Creo que sí.

—Más mejor, salvo su parecer, sería que llegásemos a la puente, y luego yo volveríame por la vereda, que es camino más seguro.

—No repliques, rapaz.

—¡Dame pavor el muerto!

—Aún alcanzas compañía.

Y señalaba al arriero que subía el camino lleno de charcos, donde se reflejaba la luna.

—¡Puede recelarse!

—Disimulas. Monta si quieres...

Obedeció el espolique, y una vez sobre la silla se inclinó para escuchar al caballero, que le intimó en voz baja:

—¡Te va la vida en callar!

Y con esto arrendóse el encubierto, para dejarle paso, un dedo puesto sobre los labios. Al verse solo, se santiguó devotamente. ¿Adónde iba? ¿Quién era? Tal vez fuese un emigrado. Tal vez un cabecilla que volvía de Portugal. Pero de las viejas historias, de los viejos caminos, nunca se sabe el fin.

MI BISABUELO

Don Manuel Bermúdez y Bolaño, mi bisabuelo, fue un caballero alto, seco, con los ojos verdes y el perfil purísimo. Hablaba poco, paseaba solo, era orgulloso, violento y muy justiciero. Recuerdo que algunos días en la mejilla derecha tenía una roseola, casi una llaga. De aquella roseola la gente del pueblo murmuraba que era un beso de las brujas, y a medias palabras venían a decir lo mismo mis tías las Pedrayes. La imagen que conservo de mi bisabuelo es la de un viejo caduco y temblón, que paseaba al abrigo de la iglesia en las tardes largas y doradas. ¡Qué amorosa evocación tiene para mí aquel tiempo! ¡Dorado es tu nombre, Santa María de Louro! ¡Dorada tu iglesia con nidos de golondrinas! ¡Doradas tus piedras! ¡Toda tú dorada, villa de Señorío!

De la casa que tuvo allí mi bisabuelo sólo queda una parra vieja que no da uvas, y de aquella familia tan antigua un eco en los libros parroquiales; pero en torno de la sombra de mi bisabuelo flota todavía una leyenda. Recuerdo que toda la parentela le tenía por un loco atrabiliario. Yo era un niño y se recataban de hablar en mi presencia; sin embargo, por palabras vagas llegué a descubrir que mi bisabuelo había estado preso en la cárcel de Santiago. En medio de una gran angustia presentía que era culpado de algún crimen lejano, y que había salido libre por dinero. Muchas noches no podía dormir, cavilando en aquel misterio, y se me oprimía el corazón si en las altas horas oía la voz embarullada del viejo caballero que soñaba a gritos. Dormía mi bisabuelo en una gran sala de la torre, con un criado a la puerta, y yo le suponía lleno de remordimientos, turbado su sueño por fantasmas y aparecidos. Aquel viejo tan adusto me quería mucho, y correspondíale mi candor de niño rezando para que le fuese perdonado su crimen. Ya estaban frías las manos de mi bisabuelo cuando supe cómo se habían cubierto de sangre.

Un anochecido escuché el relato a la vieja aldeana que ha sido siempre la crónica de la familia. Micaela hilaba su copo en la antesala redonda, y contaba a los otros criados las grandezas de la casa y las historias de los mayores. De mi bisabuelo recordaba que era un gran cazador, y que una tarde, cuando volvía de tirar a las perdices, salió a esperarle en el camino del monte el cabezalero de un foral que tenía en Juno. Era un hombre ciego a quien una hija suya guiaba de la mano. Iba con la cabeza descubierta al encuentro del caballero:

—¡Un ángel lo trae por estos caminos, mi amo!

Hablaba con la voz velada de lágrimas. Don Manuel Bermúdez le interrogó breve y muy adusto:

—¿Ha muerto tu madre?

—¡No lo permita Dios!

—¿Pues qué te ocurre?

—Por un falso testimonio están en la cárcel dos de mis hijos. ¡Quiere acabar con todos nosotros el escribano Malvido! Anda por las puertas con una obliga escrita, y va tomando las firmas para que ninguno vuelva a meter los ganados en las Brañas del Rey.

Suspiró la mocina que guiaba a su padre:

—Yo lo vide a la puerta de tío Pedro de Vermo.

Se acercaron otras mujeres y unos niños que volvían del monte agobiados bajo grandes haces de carrascas. Todos rodearon a Don Manuel Bermúdez:

—Ya los pobres no podemos vivir. El monte donde rozábamos nos lo quita un ladrón de la villa.

Clamó el ciego:

—Más os vale no hablar y arrancaros la lengua. Por palabras como esas están en la cárcel dos de mis hijos.

Al callar el ciego gimió la mocina:

—Por estar encamada no se llevaron los alcaldes a mi madre Águeda.

Cuentan que mi bisabuelo al oir esto dio una voz muy enojado, imponiendo silencio:

—¡Habla tú, Serenín! ¡Que yo me entere!

Todos se apartaron, y el ciego labrador quedó en medio del camino con la cabeza descubierta, la calva dorada bajo el sol poniente. Llamábase Serenín de Bretal, y su madre, una labradora de cien años, Águeda la del Monte. Esta mujer había sido nodriza de mi bisabuelo, quien le guardaba amor tan grande, que algunas veces cuando andaba de cacería llegábase a visitarla, y sentábase bajo el emparrado a merendar en su compañía un cuenco de leche presa. Don Manuel Bermúdez, amparado en una sombra del camino, silencioso y adusto, oía la querella de Serenín de Bretal:

—¡Acaban con nos! ¡No sabemos ya dónde ir a rozar las carrascas, ni dónde llevar los ganados! Por puertas nos deja a todos los labradores el escribano Malvido. Los montes, que eran nuestros, nos los roban con papeles falsos y testimonios de lenguas pagadas, y porque reclamaron contra este fuero, tengo dos hijos en la cárcel. ¡Ya solamente nos queda a los labradores ponernos una piedra al cuello y echarnos de cabeza al río!

Se levantó un murmullo popular:

—¿Adónde irás que no penares?

—¡La suerte del pobre es pasar trabajos!

—¡Para el pobre nunca hay sol!

—¡Sufrir y penar! ¡Sufrir y penar! Es la ley del pobre.

Las mujeres que portaban los haces de carrascas, juntas con otras que volvían de los mercados, formaban corro en torno del ciego labrador, y a lo lejos una cuadrilla de cavadores escuchaba en la linde de la heredad descansando sobre las azadas. Don Manuel Bermúdez los miró a todos muy despacio, y luego les dijo:

—En la mano tenéis el remedio. ¿Por qué no matáis a ese perro rabioso?

Al pronto todos callaron, pero de repente una mujer gritó dejando caer su haz de carrascas y mesándose:

—¡Porque no hay hombres, señor! ¡Porque no hay hombres!

Desde lejos dejó oir su voz uno de los cavadores:

—Hay hombres, pero tienen las manos atadas.

Se revolvió la mujer:

—¿Quién vos las ata? ¡El miedo! ¡Callad, castrados! ¿Qué boca habló por mí, cuando en una misma leva me llevaron tres hijos, y me dejaron como me veo, sin más amparo que el cielo que me cubre? ¡Callad, castrados!

Una vieja que venía hacia el camino atravesando por los maizales, respondió con otras voces:

—¡Hay que acabar con los verdugos! ¡Hay que acabar con ellos!

Era Águeda la del Monte. Caminaba apoyándose en un palo, alta, encorvada, vestida de luto. El caballero la miró lleno de piedad:

—¿Por qué te has movido de tu puerta, Águeda?

—¡Para mirarte, sol de oro!

Serenín de Bretal volvió los ojos velados hacia donde sonaba la voz de la centenaria, y gritó:

—¡Ya depusimos nuestro pleito al amo!

Águeda la del Monte se había sentado en una piedra del camino:

—Pues su consejo nos toca seguir. ¿Qué vos ha dicho?

Repuso Serenín en medio del murmullo de muchas voces:

—El que nació de nobleza tiene un sentir, y otro el que nació de la tierra.

Águeda la del Monte se levantó apoyándose en el palo. Había sido una mujer gigantesca, y aun encorvada parecía muy alta, tenía los ojos negros, y era morena, del color del centeno:

—¡Sin escucharlas, sé las palabras de mi rey! ¡El rey que yo crié tuvo el mismo dictado que esta boca de tierra! ¡Acabar con los verdugos! ¡Acabar con ellos! ¡Sin escucharlas, sé las palabras de mi rey!

Clamó Serenín:

—¡Yo nada puedo hacer sin luz en los ojos y con los hijos en la cárcel!

Comenzaron a gritar las mujeres:

—¡Estas carrascas habían de ser para quemar vivo a ese ladrón de pobres!

Se levantó sobre la ola una voz ya ronca:

—¿Dónde están los hombres? ¡Todos son castrados!

Y de pronto se aplacó el vocerío. Una lengua medrosa recomendó:

—Hay que callar y sufrir. Cada vida tiene su cruz. ¡Mirad quién viene!

Por lo alto de la cuesta, trotando sobre un asno, asomaba un jinete, y todos reconocieron al escribano Malvido. Cuentan que entonces mi bisabuelo se volvió a los cavadores que estaban en la linde de la heredad:

—Tengo la escopeta cargada con postas. ¿Alguno de vosotros quiere hacer un buen blanco?

Al pronto todos callaron. Luego destacóse uno entre los más viejos:

—El gavilán vuela siempre sobre el palomar. Uno se mata y otro viene.

—¿No queréis aprovechar la carga de mi escopeta?

Respondieron varias voces con ahínco:

— ¡Somos unos pobres, señor mayorazgo! ¡Cativos de nos! ¡Hijos de la tierra!

Águeda la del Monte se levantó con el regazo lleno de piedras:

—¡Las mujeres hemos de sepultar a los verdugos!

El escribano, mirando tanta gente en el camino, iba a torcer por un atajo, pero mi bisabuelo parece ser que le llamó con grandes voces:

—Señor Malvido, acá le estamos esperando para hacer una buena justicia.

Respondió el otro muy alegre:

—¡Falta hace, señor mayorazgo! ¡Esta gente es contumaz!

Se acercó trotando. Mi bisabuelo, muy despacio, echóse la escopeta a la cara. Cuando le tuvo encañonado le gritó:

—¡Ésta es mi justicia, señor Malvido!

Y de un tiro le dobló en tierra con la cabeza ensangrentada. Águeda la del Monte se arrodilló con los brazos abiertos al pie de mi bisabuelo, que posó

su mano blanca sobre la cabeza de la centenaria, y
le dijo:

— ¡Buena leche me has dado, madre Águeda!

Todos habían huido, y eran los dos solos en medio
del camino, frente al muerto. Contaba Micaela la
Galana que a raíz de aquel suceso mi bisabuelo había
estado algún tiempo en la cárcel de Santiago. El
hecho es cierto, pero fue otro el motivo. Muchos
años después, para una información genealógica, he
tenido que revolver papeles viejos, y pude averiguar
que aquella prisión había sido por pertenecer al par-
tido de los apostólicos el señor Coronel de Milicias
Don Manuel Bermúdez y Bolaño. Era yo estudiante
cuando llegué a formarme cabal idea de mi bisabuelo. Creo que ha sido un carácter extraordinario, y
así estimo sobre todas mis sangres la herencia suya.
Aún ahora, vencido por tantos desengaños, recuerdo
con orgullo aquel tiempo de mi mocedad, cuando,
despechada conmigo toda mi parentela, decían las
viejas santiguándose: ¡Otro Don Manuel Bermúdez!
¡Bendito Dios!

ROSARITO

Sentada ante uno de esos arcaicos veladores con tablero de damas, que tanta boga conquistaron en los comienzos del siglo, cabecea el sueño la anciana Condesa de Cela. Los mechones plateados de sus cabellos, escapándose de la toca de encajes, rozan con intermitencias los naipes alineados para un solitario. En el otro extremo del canapé, está su nieta Rosarito. Aunque muy piadosas entrambas damas, es lo cierto que ninguna presta atención a la vida del santo del día, que el capellán del Pazo lee en alta voz, encorvado sobre el velador, y calados los espejuelos de recia armazón dorada. De pronto Rosarito levanta la cabeza, y se queda como abstraída, fijos los ojos en la puerta del jardín que se abre sobre un fondo de ramajes oscuros y misteriosos. ¡No más misteriosos, en verdad, que la mirada de aquella niña pensativa y blanca! Vista a la tenue claridad de la lámpara, con la rubia cabeza en divino escorzo, la sombra de las pestañas temblando en el marfil de la mejilla y el busto delicado y gentil destacándose en penumbra incierta sobre la dorada

talla, y el damasco azul celeste del canapé, Rosarito
recordaba esas ingenuas madonas pintadas sobre
fondo de estrellas y luceros.

Capítulo II

La niña entorna los ojos, palidece, y sus labios agi-
tados por temblor extraño, dejan escapar un grito:

—¡Jesús...! ¡Qué miedo!...

Interrumpe su lectura el clérigo, y mirándola por
encima de los espejuelos, carraspea:

—¿Alguna araña, eh, señorita?...

Rosarito mueve la cabeza:

—¡No, señor, no!

Rosarito estaba muy pálida. Su voz, un poco velada, tenía esa inseguridad delatora del miedo y de
la angustia. En vano por aparecer serena quiso continuar la labor que yacía en su regazo. Temblaba
demasiado entre aquellas manos pálidas, transparentes como las de una santa; manos místicas y ardientes, que parecían adelgazadas en la oración, por el
suave roce de las cuentas del rosario. Profundamente
abstraída clavó las agujas en el brazo del canapé.
Después con voz baja e íntima, cual si hablase consigo misma, balbuceó:

—¡Jesús!... ¡Qué cosa tan extraña!

Al mismo tiempo entornó los párpados, y cruzó
las manos sobre el seno de cándidas y gloriosas
líneas. Parecía soñar. El capellán la miró con extrañeza:

—¿Qué le pasa, señorita Rosario?

La niña entreabrió los ojos y lanzó un suspiro:

—¿Diga, Don Benicio, será algún aviso del otro
mundo?...

—¡Un aviso del otro mundo!... ¿Qué quiere usted decir?

Antes de contestar, Rosarito dirigió una nueva mirada al misterioso y dormido jardín a través de cuyos ramajes se filtraba la blanca luz de la luna. Luego, con voz débil y temblorosa, murmuró:

—Hace un momento juraría haber visto entrar por esa puerta a Don Miguel Montenegro...

—¿Don Miguel, señorita?... ¿Está usted segura?

—Sí; era él, y me saludaba sonriendo...

—¿Pero usted recuerda a Don Miguel Montenegro? Si lo menos hace diez años que está en la emigración.

—Me acuerdo, Don Benicio, como si le hubiese visto ayer. Era yo muy niña, y fui con el abuelo a visitarle en la cárcel de Santiago, donde le tenían preso por liberal. El abuelo le llamaba primo. Don Miguel era muy alto, con el bigote muy retorcido y el pelo blanco y rizoso.

El capellán asintió:

—Justamente, justamente. A los treinta años tenía la cabeza más blanca que yo ahora. Sin duda, usted habrá oído referir la historia...

Rosarito juntó las manos:

—¡Oh! ¡Cuántas veces! El abuelo la contaba siempre.

Se interrumpió viendo enderezarse a la Condesa. La anciana señora miró a su nieta con severidad, y todavía mal despierta murmuró:

—¿Qué tanto tienes que hablar, niña? Deja leer a Don Benicio.

Rosarito inclinó la cabeza y se puso a mover las agujas de su labor. Pero Don Benicio, que no estaba en ánimo de seguir leyendo, cerró el libro y bajó los anteojos hasta la punta de la nariz.

—Hablábamos del famoso Don Miguel, Señora Condesa. Don Miguel Montenegro, emparentado, si no me engaño, con la ilustre casa de los Condes de Cela...

La anciana le interrumpió:

—¿Y adónde han ido ustedes a buscar esa conversación? ¿También usted ha tenido noticia del hereje de mi primo? Yo sé que está en el país, y que conspira. El cura de Cela, que le conoció mucho en Portugal, le ha visto en la feria de Barbanzón, disfrazado de chalán.

Don Benicio se quitó los anteojos vivamente:

—¡Hum! He ahí una noticia, y una noticia de las más extraordinarias. ¿Pero no se equivocaría el cura de Cela?...

La Condesa se encogió de hombros:

—¡Qué! ¿Lo duda usted? Pues yo no. ¡Conozco harto bien a mi señor primo!

—Los años quebrantan las peñas, Señora Condesa. Cuatro anduve yo por las montañas de Navarra con el fusil al hombro, y hoy, mientras otros baten el cobre, tengo que contentarme con pedir a Dios en la misa el triunfo de la santa Causa.

Una sonrisa desdeñosa asomó en la desdentada boca de la linajuda señora:

—¿Pero quiere usted compararse, Don Benicio?... Ciertamente que en el caso de mi primo, cualquiera se miraría antes de atravesar la frontera; pero esa rama de los Montenegros es de locos. Loco era mi tío Don José, loco es el hijo y locos serán los nietos. Usted habrá oído mil veces en casa de los curas hablar de Don Miguel; pues bien, todo lo que se cuenta no es nada comparado con lo que ese hombre ha hecho.

El clérigo repitió a media voz:

—Ya sé, ya sé... Tengo oído mucho. ¡Es un hombre terrible, un libertino, un masón!

La Condesa alzó los ojos al cielo y suspiró:

—¿Vendrá a nuestra casa? ¿Qué le parece usted?

—¿Quién sabe? Conoce el buen corazón de la Señora Condesa.

El capellán sacó del pecho de su levitón un gran pañuelo a cuadros azules, y lo sacudió en el aire con suma parsimonia. Después se limpió la calva:

—¡Sería una verdadera desgracia! Si la Señora atendiese mi consejo, le cerraría la puerta.

Rosarito lanzó un suspiro. Su abuela la miró severamente y se puso a repiquetear con los dedos en el brazo del canapé:

—Eso se dice pronto, Don Benicio. Está visto que usted no le conoce. Yo le cerraría la puerta y él la echaría abajo. Por lo demás, tampoco debo olvidar que es mi primo.

Rosarito alzó la cabeza. En su boca de niña temblaba la sonrisa pálida de los corazones tristes, y en el fondo misterioso de sus pupilas brillaba una lágrima rota. De pronto lanzó un grito. Parado en el umbral de la puerta del jardín estaba un hombre de cabellos blancos, estatura gentil y talle todavía arrogante y erguido.

Capítulo III

Don Miguel de Montenegro podría frisar en los sesenta años. Tenía ese hermoso y varonil tipo suevo tan frecuente en los hidalgos de la montaña gallega. Era el mayorazgo de una familia antigua y linajuda, cuyo blasón lucía dieciséis cuarteles de nobleza, y una corona real en el jefe. Don Miguel, con gran escándalo de sus deudos y allegados, al volver de su primera emigración hizo picar las armas que campeaban sobre la puerta de su Pazo solariego, un caserón antiguo y ruinoso, mandado edificar por el Mariscal Montenegro, que figuró en las guerras de Felipe V y fue el más notable de los de su linaje. Todavía se conserva en el país memoria de aquel señorón excéntrico, déspota y cazador, beodo y hospitalario. Don Miguel a los treinta años había malbaratado su patrimonio. Solamente conservó las rentas y tierras de vínculo, el Pazo y una capellanía, todo lo cual apenas le daba para comer. Entonces empezó su vida de conspirador y aventurero, vida tan llena de riesgos y azares como la de aquellos segundones hidalgos que se enganchaban en los tercios de Italia por buscar lances de amor, de espada y de fortuna. Liberal aforrado en masón, fingía gran menosprecio por toda suerte de timbres nobiliarios, lo que no impedía que fuese altivo y cruel como un árabe noble. Interiormente sentíase orgulloso de su abolengo, y pese a su despreocupación dantoniana, placíale referir la leyenda heráldica que hace descender a los Montenegros de una emperatriz alemana. Creíase emparentado con las más nobles casas de Galicia, y desde el Conde de Cela al de Altamira, con todos se igualaba y a todos llamaba primos, como se llaman entre sí los reyes. En cambio, despreciaba a los hidalgos sus vecinos y se burlaba de ellos sentándolos a su mesa y haciendo sentar a sus criados. Era cosa de ver a Don Miguel erguirse cuan alto era, con el vaso desbordante, gritando con aquella engolada voz de gran señor que ponía asombro en sus huéspedes:

—En mi casa, señores, todos los hombres son iguales. Aquí es ley la doctrina del filósofo de Judea.

Don Miguel era uno de esos locos de buena vena, con maneras de gran señor, ingenio de coplero y alientos de pirata. Bullía de continuo en él una desesperación sin causa ni objeto, tan pronto arrebatada como burlona, ruidosa como sombría. Atribuíansele cosas verdaderamente extraordinarias. Cuando volvió de su primera emigración encontróse hecha la leyenda. Los viejos liberales partidarios de Riego contaban que le había blanqueado el cabello desde que una sentencia de muerte tuviérale tres días en capilla, de la cual consiguiera fugarse por un milagro de audacia. Pero las damiselas de su provincia, abuelas hoy que todas suspiran cuando recitan a sus nietas los versos de *El Trovador,* referían algo mucho más hermoso... Pasaba esto en los buenos tiempos del romanticismo, y fue preciso suponerle víctima de trágicos amores. ¡Cuántas veces oyera Rosarito en la tertulia de sus abuelos la historia de aquellos cabellos blancos! Contábala siempre su tía la de Camarasa —una señorita cincuentona que leía novelas con el ardor de una colegiala, y todavía cantaba en los estrados aristocráticos de Compostela melancólicas tonadas del año treinta—. Amada de Camarasa conoció a Don Miguel en Lisboa, cuando las bodas del Infante Don Miguel. Era ella una niña, y habíale quedado muy presente la sombría figura de aquel emigrado español de erguido talle y ademán altivo, que todas las mañanas se paseaba con el poeta Espronceda en el atrio de la catedral, y no daba un paso sin golpear fieramente el suelo con la contera de su caña de Indias. Amada de Camarasa no podía menos de suspirar siempre que hacía memoria de los alegres años pasados en Lisboa. ¡Quizá volvía a ver con los ojos de la imaginación la figura de cierto hidalgo lusitano de moreno rostro y amante labia, que había sido la única pasión de su juventud!... Pero ésta es otra historia que nada tiene que ver con la de Don Miguel de Montenegro.

Capítulo IV

El mayorazgo se había detenido en medio de la espaciosa sala, y saludaba encorvando su aventajado talle, aprisionado en largo levitón.

—Buenas noches, Condesa de Cela. ¡He aquí a tu primo Montenegro que viene de Portugal!

Su voz, al sonar en medio del silencio de la anchurosa y oscura sala del Pazo, parecía más poderosa y más hueca. La Condesa, sin manifestar extrañeza, repuso con desabrimiento:

—Buenas noches, señor mío.

Don Miguel se atusó el bigote, y sonrió, como hombre acostumbrado a tales desvíos y que los tiene en poco. De antiguo recibíasele de igual modo en casa de todos sus deudos y allegados, sin que nunca se le antojara tomarlo a pecho. Contentábase con hacerse obedecer de los criados, y manifestar hacia los amos cierto desdén de gran señor. Era de ver cómo aquellos hidalgos campesinos que nunca habían salido de sus madrigueras concluían por humillarse ante la apostura caballeresca y la engolada voz del viejo libertino, cuya vida de conspirador, llena de azares desconocidos, ejercía sobre ellos el poder sugestivo de lo tenebroso. Don Miguel acercóse rápido a la Condesa y tomóle la mano con aire a un tiempo cortés y familiar:

—Espero, prima, que me darás hospitalidad por una noche.

Así diciendo, con empaque de viejo gentilhombre, arrastró un pesado sillón de moscova, y tomó asien-

to al lado del canapé. En seguida, y sin esperar respuesta, volvióse a Rosarito. ¡Acaso había sentido el
peso magnético de aquella mirada que tenía la curiosidad de la virgen y la pasión de la mujer! Puso
el emigrado una mano sobre la rubia cabeza de la
niña, obligándola a levantar los ojos, y con esa cor-
tesanía exquisita y simpática de los viejos que han
amado y galanteado mucho en su juventud, pronunció a media voz —¡la voz honda y triste con que se
recuerda el pasado!:

—¿Tú no me reconoces, verdad, hija mía? Pero
yo sí, te reconocería en cualquier parte... ¡Te pareces
tanto a una tía tuya, hermana de tu abuelo, a la
cual ya no has podido conocer!... ¿Tú te llamas Rosarito, verdad?

—Sí, señor.

Don Miguel se volvió a la Condesa:

—¿Sabes, prima, que es muy linda la pequeña?

Y moviendo la plateada y varonil cabeza continuó
cual si hablase consigo mismo:

—¡Demasiada linda para que pueda ser feliz!

La Condesa, halagada en su vanidad de abuela,
repuso con benignidad, sonriendo a su nieta:

—No me la trastornes, primo. ¡Sea ella buena, que
el que sea linda es cosa de bien poco!...

El emigrado asintió con un gesto sombrío y tea-
tral y quedó contemplando a la niña, que con los ojos
bajos, movía las agujas de su labor, temblorosa y
torpe. ¿Adivinó el viejo libertino lo que pasaba en
aquella alma tan pura? ¿Tenía él, como todos los
grandes seductores, esa intuición misteriosa que lee
en lo íntimo de los corazones y conoce las horas
propicias al amor? Ello es que una sonrisa de in-
creíble audacia tembló un momento bajo el mostacho

blanco del hidalgo y que sus ojos verdes —soberbios y desdeñosos como los de un tirano o los de un pirata— se posaron con gallardía donjuanesca sobre aquella cabeza melancólicamente inclinada que, con su crencha de oro, partida por estrecha raya, tenía cierta castidad prerrafaélica. Pero la sonrisa y la mirada del emigrado fueron relámpagos por lo siniestras y por lo fugaces. Recobrada incontinenti su actitud de gran señor, Don Miguel se inclinó ante la Condesa:

—Perdona, prima, que todavía no te haya preguntado por mi primo el Conde de Cela.

La anciana suspiró, levantando los ojos al cielo:

—¡Ay! ¡El Conde de Cela, lo es desde hace mucho tiempo mi hijo Pedro!...

El mayorazgo se enderezó en el sillón, dando con la contera de su caña en el suelo:

—¡Vive Dios! En la emigración nunca se sabe nada. Apenas llega una noticia... ¡Pobre amigo! ¡Pobre amigo!... ¡No somos más que polvo!...

Frunció las cejas, y apoyado a dos manos en el puño de oro de su bastón, añadió con fanfarronería:

—Si antes lo hubiese sabido, créeme que no tendría el honor de hospedarme en tu palacio.

—¿Por qué?

—Porque tú nunca me has querido bien. ¡En eso eres de la familia!

La noble señora sonrió tristemente:

—Tú eres el que has renegado de todos. ¿Pero a qué viene recordar ahora eso? Cuenta has de dar a Dios de tu vida, y entonces...

Don Miguel se inclinó con sarcasmo:

—Te juro, prima, que, como tenga tiempo, he de arrepentirme.

El capellán, que no había desplegado los labios, repuso afablemente —afabilidad que le imponía el miedo a la cólera del hidalgo:

—Volterianismos, Don Miguel... Volterianismos que después, en la hora de la muerte...

Don Miguel no contestó. En los ojos de Rosarito acababa de leer un ruego tímido y ardiente a la vez. El viejo libertino miró al clérigo de alto abajo, y volviéndose a la niña, que temblaba, contestó sonriendo:

—¡No temas, hija mía! Si no creo en Dios, amo a los ángeles...

El clérigo, en el mismo tono conciliador y francote, volvió a repetir:

—¡Volterianismos, Don Miguel! ¡Volterianismos de la Francia!...

Intervino con alguna brusquedad la Condesa, a quien lo mismo las impiedades que las galanterías del emigrado inspiraban vago terror:

—¡Dejémosle, Don Benicio! Ni él ha de convencernos ni nosotros a él...

Don Miguel sonrió con exquisita ironía:

—¡Gracias, prima, por la ejecutoria de firmeza que das a mis ideas, pues ya he visto cuánta es la elocuencia de tu capellán!

La Condesa sonrió fríamente con el borde de los labios, y dirigió una mirada autoritaria al clérigo para imponerle silencio. Después, adoptando esa actitud seria y un tanto melancólica con que las damas del año treinta se retrataban, y recibían en el estrado a los caballeros, murmuró:

—¡Cuando pienso en el tiempo que hace que no nos hemos visto!... ¿De dónde sales ahora? ¿Qué nueva locura te trae? ¡Los emigrados no descansáis nunca!...

—Pasaron ya mis años de pelea... Ya no soy aquel que tú has conocido. Si he atravesado la frontera, ha sido únicamente para traer socorros a la huérfana de un pobre emigrado, a quien asesinaron los estudiantes de Coimbra. Cumplido este deber, me vuelvo a Portugal.

—¡Si es así, que Dios te acompañe!...

Capítulo V

Un antiguo reloj de sobremesa dio las diez. Era de plata dorada y de gusto pesado y barroco, como obra del siglo XVIII. Representaba a Baco coronado de pámpanos y dormido sobre un tonel. La Condesa contó las horas en voz alta, y volvió al asunto de su conversación:

—Yo sabía que habías pasado por Santiago, y que después estuviste en la feria de Barbanzón disfrazado de chalán. Mis noticias eran de que conspirabas.

—Ya sé que eso se ha dicho.

—A ti se te juzga capaz de todo, menos de ejercer la caridad como un apóstol...

Y la noble señora sonreía con alguna incredulidad. Después de un momento añadió, bajando insensiblemente la voz:

—¡Es el caso que no debes tener la cabeza muy segura sobre los hombros!

Y tras la máscara de frialdad con que quiso revestir sus palabras, asomaban el interés y el afecto. Don Miguel repuso en el mismo tono confidencial, paseando la mirada por la sala:

—¡Ya habrás comprendido que vengo huyendo! Necesito un caballo para repasar mañana mismo la frontera.

—¿Mañana?

—Mañana.

La Condesa reflexionó un momento:

—¡Es el caso que no tenemos en el Pazo ni una mala montura!...

Y como observase que el emigrado fruncía el ceño, añadió:

—Haces mal en dudarlo. Tú mismo puedes bajar a las cuadras y verlo. Hará cosa de un mes pasó por aquí haciendo una requisa la partida de *El Manco*, y se llevó las dos yeguas que teníamos. No he querido volver a comprar, porque me exponía a que se repitiese el caso el mejor día.

Don Miguel de Montenegro la interrumpió:

—¿Y no hay en la aldea quien preste un caballo a la Condesa de Cela?

A la pregunta del mayorazgo siguió un momento de silencio. Todas las cabezas se inclinaban, y parecían meditar. Rosarito, que con las manos en cruz y la labor caída en el regazo estaba sentada en el canapé al lado de la anciana, suspiró tímidamente:

—Abuelita, el Sumiller tiene un caballo que no se atreve a montar.

Y con el rostro cubierto de rubor, entreabierta la boca de madona, y el fondo de los ojos misterioso y cambiante, Rosarito se estrechaba a su abuela cual si buscase amparo en un peligro. Don Miguel la infundía miedo, pero un miedo sugestivo y fascinador. Quisiera no haberle conocido, y el pensar en que pudiera irse la entristecía. Aparecíasele como el héroe de un cuento medroso y bello cuyo relato se escucha temblando y, sin embargo, cautiva el ánimo hasta el final, con la fuerza de un sortilegio. Oyendo a la niña, el emigrado sonrió con caballeresco desdén, y aun hubo de atusarse el bigote suelto y bizarramente levantado sobre el labio. Su actitud era ligeramente burlona:

—¡Vive Dios! Un caballo que el Sumiller no se atreve a montar casi debe ser un Bucéfalo. ¡He ahí, queridas mías, el corcel que me conviene!

La Condesa movió distraídamente algunos naipes del solitario, y al cabo de un momento, como si el pensamiento y la palabra le viniesen de muy lejos, se dirigió al capellán:

—Don Benicio, será preciso que vaya usted a la rectoral y hable con el Sumiller.

Don Benicio repuso, volviendo las hojas de *El Año Cristiano:*

—Yo haré lo que disponga la señora Condesa; pero, salvo su mejor parecer, el mío es que más atendida había de ser una carta de vuecencia.

Aquí levantó el clérigo la tonsurada cabeza, y al observar el gesto de contrariedad con que la dama le escuchaba, se apresuró a decir:

—Permítame, señora Condesa, que me explique. El día de San Cidrán fuimos juntos de caza. Entre el Sumiller y el abad de Cela, que se nos reunió en el monte, hiciéronme una jugarreta del demonio. Todo el día estuviéronse riendo. ¡Con sus sesenta años a cuestas, los dos tienen el humor de unos rapaces! Si me presento ahora en la rectoral pidiendo el caballo, por seguro que lo toman a burla. ¡Es un raposo muy viejo el señor Sumiller!

Rosarito murmuró con anhelo al oído de la anciana:

—Abuelita, escríbale usted...

La mano trémula de la Condesa acarició la rubia cabeza de su nieta:

— ¡Ya, hija mía!...

Y la Condesa de Cela, que hacía tantos años estaba amagada de parálisis, irguióse sin ayuda, y, pre-
cedida del capellán, atravesó la sala, noblemente
inclinada sobre su muleta, una de esas muletas como
se ven en los santuarios, con cojín de terciopelo carmesí guarnecido por clavos de plata.

Capítulo VI

Del fondo oscuro del jardín, donde los grillos daban serenata, llegaban murmullos y aromas. El vien-
tecillo gentil que los traía estremecía los arbustos,
sin despertar los pájaros que dormían en ellos. A veces, el follaje se abría susurrando y penetraba el
blanco rayo de la luna, que se quebraba en algún
asiento de piedra, oculto hasta entonces en sombra
clandestina. El jardín cargado de aromas, y aquellas
notas de la noche, impregnadas de voluptuosidad y
de pereza, y aquel rayo de luna, y aquella soledad, y
aquel misterio, traían como una evocación román-
tica de citas de amor, en siglos de trovadores. Don
Miguel se levantó del sillón, y, vencido por una dis-
tracción extraña, comenzó a pasearse entenebrecido
y taciturno. Temblaba el piso bajo su andar marcial, y temblaban las arcaicas consolas, que parecían
altares con su carga rococó de efigies, fanales y floreros. Los ojos de la niña seguían miedosos e incons-
cientes el ir y venir de aquella sombría figura. Si el
emigrado se acercaba a la luz, no se atrevía a mirarle; si se desvanecía en la penumbra, le buscaban
con ansia. Don Miguel se detuvo en medio de la estancia. Rosarito bajó los párpados presurosa. Son-
rióse el mayorazgo contemplando aquella rubia y

delicada cabeza, que se inclinaba como lirio de oro, y después de un momento llegó a decir:

—¡Mírame, hija mía! ¡Tus ojos me recuerdan otros ojos que han llorado mucho por mí!

Tenía Don Miguel los gestos trágicos y las frases siniestras y dolientes de los seductores románticos. En su juventud había conocido a lord Byron y la influencia del poeta inglés fuera en él decisiva. Las pestañas de Rosarito rozaron la mejilla con tímido aleteo y permanecieron inclinadas como las de una novicia. El emigrado sacudió la blanca cabellera, aquella cabellera cuya novelesca historia tantas veces recordara la niña durante la velada, y fue a sentarse en el canapé:

—Si viniesen a prenderme, ¿tú qué harías? ¿Te atreverías a ocultarme en tu alcoba? ¡Una abadesa de San Payo salvó así la vida a tu abuelo!...

Rosarito no contestó. Ella, tan inocente, sentía el fuego del rubor en toda su carne. El viejo libertino la miraba intensamente, cual si sólo buscase el turbarla más. La presión de aquellos ojos verdes era a un tiempo sombría y fascinadora, inquietante y audaz. Dijérase que infiltraban el amor como un veneno, que violaban las almas y que robaban los besos a las bocas más puras. Después de un momento, añadió con amarga sonrisa:

—Escucha lo que voy a decirte. Si viniesen a prenderme, yo me haría matar. ¡Mi vida ya no puede ser ni larga ni feliz, y aquí tus manos piadosas me amortajarían!...

Cual si quisiera alejar sombríos pensamientos agitó la cabeza con movimiento varonil y hermoso, y echó hacia atrás los cabellos que oscurecían su frente, una frente altanera y desguarnecida, que parecía

encerrar todas las exageraciones y todas las demen-
cias, lo mismo las del amor que las del odio, las ce-
lestes que las diabólicas... Rosarito murmuró casi
sin voz:

— ¡Yo haré una novena a la Virgen para que le
saque a usted con bien de tantos peligros!...

Una onda de indecible compasión la ahogaba con
ahogo dulcísimo. Sentíase presa de confusión extraña, pronta a llorar, no sabía si de ansiedad, si de
pena, si de ternura; conmovida hasta lo más hondo
de su ser, por conmoción oscura, hasta entonces ni
gustada ni presentida. El fuego del rubor quemábale
las mejillas; el corazón quería saltársele del pecho;
un nudo de divina angustia oprimía su garganta; es-
calofríos misteriosos recorrían su carne. Temblorosa,
con el temblor que la proximidad del hombre infun-
de en las vírgenes, quiso huir de aquellos ojos domi-
nadores que la miraban siempre, pero el sortilegio
resistió. El emigrado la retuvo con un extraño gesto, tiránico y amante, y ella llorosa, vencida, cubrió-
se el rostro con las manos de novicia, pálidas, místicas, ardientes.

Capítulo VII

La Condesa apareció en la puerta de la estancia,
donde se detuvo jadeante y sin fuerzas:

— ¡Rosarito, hija mía, ven a darme el brazo!...

Con la muleta apartaba el blasonado portier. Rosarito se limpió los ojos y acudió velozmente. La
noble señora apoyó la diestra blanca y temblona en
el hombro de su nieta, y cobró aliento en un suspiro.

— ¡Allá va camino de la rectoral ese bienaventu-
rado de Don Benicio!...

Después sus ojos buscaron al emigrado:

—¿Tú, supongo que hasta mañana no te pondrás en camino? Aquí estás seguro como no lo estarías en parte ninguna.

En los labios de Don Miguel asomó una sonrisa de hermoso desdén. La boca de aquel hidalgo aventurero reproducía el gesto con que los grandes señores de otros tiempos desafiaban la muerte. Don Rodrigo Calderón debió de sonreir así sobre el cadalso. La Condesa, dejándose caer en el canapé, añadió con suave ironía:

—He mandado disponer la habitación en que, según las crónicas, vivió Fray Diego de Cádiz cuando estuvo en el Pazo. Paréceme que la habitación de un Santo es la que mejor conviene a vuesa mercé...

Y terminó la frase con una sonrisa. El mayorazgo se inclinó mostrando asentimiento burlón.

—Santos hubo que comenzaron siendo grandes pecadores.

—¡Si Fray Diego quisiese hacer contigo un milagro!

—Esperémoslo, prima.

—¡Yo lo espero!

El viejo conspirador, cambiando repentinamente de talante, exclamó con cierta violencia:

—¡Diez leguas he andado por cuetos y vericuetos, y estoy más que molido, prima!

Don Miguel se había puesto en pie. La Condesa le interrumpió murmurando:

—¡Válgate Dios con la vida que traes! Pues es menester recogerse y cobrar fuerzas para mañana.

Después, volviéndose a su nieta, añadió:

—Tú le alumbrarás y enseñarás el camino, pequeña.

Rosarito asintió con la cabeza, como hacen los niños tímidos, y fue a encender uno de los candela-

bros que había sobre la gran consola situada enfrente
del estrado. Trémula como una desposada se adelantó hasta la puerta donde hubo de esperar a que
terminase el coloquio que el mayorazgo y la Condesa
sostenían en voz baja. Rosarito apenas percibía un
vago murmullo. Suspirando apoyó la cabeza en la
pared y entornó los párpados. Sentíase presa de una
turbación llena de palpitaciones tumultuosas y confusas. En aquella actitud de cariátide parecía figura
ideal detenida en el lindar de la otra vida. Estaba
tan pálida y tan triste que no era posible contem-
plarla un instante sin sentir anegado el corazón por
la idea de la muerte... Su abuela la llamó:

—¿Qué te pasa pequeña?

Rosarito por toda respuesta abrió los ojos, sonriendo tristemente. La anciana movió la cabeza con
muestra de disgusto, y se volvió a Don Miguel:

—A ti aún espero verte mañana. El capellán nos
dirá la misa de alba en la capilla, y quiero que la
oigas...

El mayorazgo se inclinó, como pudiera hacerlo
ante una reina. Después, con aquel andar altivo y
soberano, que tan en consonancia estaba con la ín-
dole de su alma, atravesó la sala. Cuando el portier
cayó tras él, la Condesa de Cela tuvo que enjugarse
algunas lágrimas.

—¡Qué vida, Dios mío! ¡Qué vida!

Capítulo VIII

La sala del Pazo —aquella gran sala adornada con
cornucopias y retratos de generales, de damas y obispos— yace sumida en trémula penumbra. La anciana
Condesa dormita en el canapé. Encima del velador
parecen hacer otro tanto el bastón del mayorazgo y

la labor de Rosarito. Tropel de fantasmas se agita entre los cortinajes espesos. ¡Todo duerme! Mas he aquí que de pronto la Condesa abre los ojos y los fija con sobresalto en la puerta del Jardín. Imagínase haber oído un grito en sueños, uno de esos gritos de la noche, inarticulados y por demás medrosos. Con la cabeza echada hacia delante y el ánimo acobardado y suspenso, permanece breves instantes en escucha... ¡Nada! El silencio es profundo. Solamente turba la quietud de la estancia el latir acompasado y menudo de un reloj que brilla en el fondo apenas esclarecido...

La Condesa ha vuelto a dormirse.

Un ratón sale de su escondite y atraviesa la sala con gentil y vivaz trotecillo. Las cornucopias le contemplan desde lo alto. Parecen pupilas de monstruos ocultos en los rincones oscuros. El reflejo de la luna penetra hasta el centro del salón. Los daguerrotipos centellean sobre las consolas, apoyados en los jarrones llenos de rosas. Por intervalos se escucha la voz aflautada y doliente de un sapo que canta en el jardín. Es la medianoche, y la luz de la lámpara agoniza.

La Condesa se despierta, y hace la señal de la cruz.

De nuevo ha oído un grito, pero esta vez tan claro, tan distinto, que ya no duda. Requiere la muleta, y en actitud de incorporarse escucha. Un gatazo negro, encaramado en el respaldo de una silla, acéchala con ojos lucientes. La Condesa siente el escalofrío del miedo. Por escapar a esta obsesión de sus sentidos, se levanta y sale de la estancia. El gatazo negro la sigue maullando lastimeramente. Su cola fosca, su lomo enarcado, sus ojos fosforescentes, le dan todo el aspecto de un animal embrujado. El corredor es oscuro. El golpe de la muleta resuena como en la desierta nave de una iglesia. Allá al final, una puerta entornada deja escapar un rayo de luz...

La Condesa de Cela llega temblando.

La cámara está desierta, parece abandonada. Por una ventana abierta que cae al jardín alcánzase a ver en esbozo fantástico masas de árboles que se recortan sobre el cielo negro y estrellado. La brisa nocturna estremece las bujías de un candelabro de plata que lloran sin consuelo en las doradas arandelas. Aquella ventana abierta sobre el jardín misterioso y oscuro tiene algo de evocador y sugestivo. ¡Parece que alguno acaba de huir por ella!...

La Condesa se detiene paralizada de terror.

En el fondo de la estancia el lecho de palo santo donde había dormido Fray Diego de Cádiz, dibuja sus líneas rígidas y severas a través de luengos cortinajes de antiguo damasco carmesí que parece tener algo de litúrgico. A veces una mancha negra pasa corriendo sobre el muro. Tomaríasela por la sombra de un pájaro gigantesco. Se la ve posarse en el techo y deformarse en los ángulos, arrastrarse por el suelo y esconderse bajo las sillas. De improviso, presa de un vértigo funambulesco, otra vez salta al muro, y galopa por él como una araña...

La Condesa cree morir.

En aquella hora, en medio de aquel silencio, el rumor más leve acrecienta su alucinación. Un mueble que cruje, un gusano que carcome en la madera, el viento que se retuerce en el mainel de las ventanas, todo tiene para ella entonaciones trágicas o pavorosas. Encorvada sobre la muleta, tiembla con todos sus miembros. Se acerca al lecho, separa las cortinas, y mira... ¡Rosarito está allí inanimada, yerta, blanca! Dos lágrimas humedecen sus mejillas.

Los ojos tienen la mirada fija y aterradora de los muertos. ¡Por su corpiño blanco corre un hilo de sangre!... El alfilerón de oro que momentos antes aún sujetaba la trenza de la niña, está bárbaramente clavado en su pecho, sobre el corazón. La rubia cabellera extiéndese por la almohada, trágica, magdalénica...

COMEDIA DE ENSUEÑO

Una cueva en el monte, sobre la encrucijada de dos caminos de herradura. Algunos hombres, a caballo, llegan en tropel, y una vieja asoma en la boca de la cueva. Su figura se destaca por oscuro sobre el fondo rojizo donde llamea el fuego del hogar. Es la hora del anochecer, y las águilas que tienen su nido en los peñascales, se ciernen con un vuelo pesado que deja oir el golpe de las alas.

LA VIEJA

¡Con cuánto afán os esperaba, hijos míos! Desde ayer tengo encendido un buen fuego para que podáis calentaros. ¿Vendréis desfallecidos?

La vieja éntrase en la cueva, y los hombres descabalgan. Tienen los rostros cetrinos, y sus pupilas destellan en el blanco de los ojos con extraña ferocidad. Uno de ellos queda al cuidado de los caballos, y los otros, con las alforjas al hombro, penetran en la cueva y se sientan al amor del fuego. Son doce ladrones y el Capitán.

LA VIEJA

¿Habéis tenido suerte, mis hijos?

EL CAPITÁN

¡Ahora lo veréis, Madre Silvia! Muchachos, juntad el botín para que puedan hacerse las particiones.

LA VIEJA

Nunca habéis hecho tan larga ausencia.

EL CAPITÁN

No requería menos el lance, Madre Silvia.

La Madre Silvia tiende un paño sobre el hogar, y sus ojos acechan avarientos cómo las manos de aquellos doce hombres desaparecen en lo hondo de las alforjas y sacan enredadas las joyas de oro, que destellan al temblor de las llamas.

LA VIEJA

¡Jamás he visto tan rica pedrería!

EL CAPITÁN

¿No queda nada en tus alforjas, Ferragut?

FERRAGUT

¡Nada, Capitán!

EL CAPITÁN

¿Y en las tuyas, Galaor?

GALAOR

¡Nada, Capitán!

EL CAPITÁN

¿Y en las tuyas, Fierabrás?

FIERABRÁS

¡Nada!...

EL CAPITÁN

Está bien. Tened por cierto, hijos míos, que pagaréis con la vida cualquier engaño. Alumbrad aquí, Madre Silvia.

La Madre Silvia descuelga el candil. El Capitán requiere sus alforjas, que al entrar dejó sobre un escaño que hay delante del fuego, y los ladrones se acercan. Sobre aquel grupo de cabezas cetrinas y curiosas flamea el reflejo sangriento de la hoguera. El Capitán saca de las alforjas un lenzuelo bordado de oro, y al desplegarlo se ve que sirve de mortaja a una mano cercenada. Una mano de mujer con los dedos llenos de anillos y blancura de flor.

LA VIEJA

¡Qué anillos! Cada uno vale una fortuna. No los hay ni más ricos ni más bellos. Aprended, hijos...

EL CAPITÁN

¡Bella también es la mano, y mucho debía de serlo su dueña!

LA VIEJA

¿No la has visto?

EL CAPITÁN

No... La mano asomaba fuera de una reja, y la hice rodar con un golpe de mi yatagán. Era una reja celada de jazmines, y sin el fulgor de los anillos la mano hubiera parecido otra flor. Yo pasaba al galope

de mi caballo, y sin refrenarlo la hice caer entre
las flores, salpicándolas de sangre. Apenas tuve
tiempo para cogerla y huir... ¡Ay, si hubiera podido
imaginarla tan bella!

*El Capitán queda pensativo. Una nube de tristeza
empaña su rostro, y en los ojos negros y violentos
que contemplan el fuego tiembla el áureo reflejo de
las llamas y de los sueños. Uno de los ladrones al-
canza la mano, que yace sobre el paño de tisú, e
intenta despojarla de los anillos, que parecen engas-
tados a los dedos yertos. El Capitán levanta la cabeza y fulmina una mirada terrible.*

EL CAPITÁN

Deja lo que no puedes tocar, hijo de una perra.
Deja esa mano que en mal hora cortó mi yatagán.
¡Así hubieran cegado mis ojos cuando la vi! ¡Pobre
mano blanca que pronto habrá de marchitarse como
las flores! ¡Diera todos mis tesoros por unirla otra
vez al brazo de donde la corté!...

LA VIEJA

¡Y acaso hallarías un tesoro mayor!

EL CAPITÁN

Y por ver el rostro de aquella mujer diera la vida.
Madre Silvia, tú que entiendes los misterios de la
quiromancia, dime quién era.

*El Capitán suspira y los ladrones callan asombra-
dos de ver cómo dos lágrimas le corren por las fieras
mejillas. La Madre Silvia toma entre sus manos de
bruja aquella mano blanca, y sin esfuerzo la despoja
de los anillos. Luego frota la yerta palma para lim-*

piarla de la sangre y poder leer en sus rayas. Los ladrones callan y atienden.

LA VIEJA

¡Desde el nacer, esta mano hallábase destinada a deshojar en el viento la flor que dicen de la buenaventura! Es la mano de una doncella encantada que, cuando dormía el enano su carcelero, asomaba fuera de la reja llamando a los caminantes.

EL CAPITÁN

¡Con qué tierno misterio aún me llama a mí!...

LA VIEJA

Ojos humanos no la habían visto hasta que la vieron los tuyos, porque el poder del enano a unos se la fingía como paloma blanca y a otros como flor de la reja florida.

EL CAPITÁN

¡Por qué mis ojos la vieron sin aquel fingimiento!

LA VIEJA

Porque se había puesto los anillos para que más no la creyesen ni paloma ni flor. Y pasaste tú, y de no haberla hecho rodar tu yatagán, te habrías desposado con la encantada doncella, que es hija de un rey.

El Capitán calla pensativo. La Madre Silvia, a la luz del candil, cuenta y precia los anillos. Ferragut, Galaor, Fierabrás y los otros ladrones hacen la división del botín.

FERRAGUT

Dadme acá esos anillos, Madre Silvia.

GALAOR

Dejad que los veamos.

FIERABRÁS

¡Buen golpe ha dado el Capitán!

ARGILAO

¿No serán esos anillos cosa de encanto, que desaparezca?

SOLIMÁN

Si eso temes, te compro el que te caiga en suerte.

BARBARROJA

Yo te lo compro, te lo cambio o te lo juego.

LA VIEJA

Esplenden tanta luz, que hasta mis manos arrugadas parecen hermosas con ellos.

Después de estas palabras hay un silencio. Se ha oído el canto de la lechuza, y todos atienden. Aún dura el silencio cuando en la boca de la cueva aparece una sombra con sayal penitente y luenga barba. Entra encapuchada y doblándose sobre el bordón. En medio de la cueva se endereza y se arranca las barbas venerables, que arroja en el hogar, donde levantan una llama leve y volandera. Los ladrones ríen con algazara. El Capitán pasea sobre ellos su mirada.

EL ERMITAÑO

Una nueva os traigo que no es para fruncir el ceño, Capitán.

EL CAPITÁN

Dila pronto, y vete.

EL ERMITAÑO

Antes de amanecer pasará por el monte una caravana de ricos mercaderes.

Los ladrones se alborozan con risa de lobo que muestra los dientes. Ferragut afila su puñal en la piedra del hogar, y la vieja echa otro haz en el fuego.

EL CAPITÁN

¿Son muchos los mercaderes?

EL ERMITAÑO

Son los hijos y los nietos de Eliván el Rojo.

EL CAPITÁN

¿Y adónde caminan?

EL ERMITAÑO

A tierras lejanas, con sedas y brocados.

El Capitán calla contemplando el fuego, y vuelve a sumirse en la niebla de su ensueño. En la cueva penetra cauteloso un perro, uno de esos perros vagabundos que de noche, al claro de la luna, corren por la orilla de las veredas solitarias. Se arrima al muro y con las orejas gachas rastrea en la sombra. Alguna vez levanta la cabeza y olfatea el aire. Los ojos le relucen. Es un perro blanco y espectral. Se oye un grito. El perro huye, y en los dientes lleva la mano cercenada, flor de albura y de misterio, que yacía sobre el paño de oro. Los ladrones salen en tropel

*a la boca de la cueva. El perro ha desaparecido en
la noche.*

EL CAPITÁN

¡Seguidle!

FERRAGUT

Parece que las sombras se lo hayan tragado.

SOLIMÁN

Entró en la cueva sin ser visto de nadie.

GALAOR

Es un perro embrujado.

BARBARROJA

Por suerte se lleva solamente la mano, que de los
anillos ya había cuidado de despojarla Madre Silvia.

EL CAPITÁN

¡Seguidle! La mitad de mis tesoros daré al que
me devuelva esa mano. ¡Seguidle! Ferragut, Galaor,
Solimán, batid el monte sin dejar una mata. Barba-
rroja, Gaiferos, Cifer, vosotros corred los caminos.
¡Pronto, a caballo! La mitad de mis tesoros tiene el
que me devuelva esa mano, la mitad de mis tesoros
y todos los anillos que habéis visto lucir en sus dedos
yertos. ¡Pronto, pronto a caballo! ¿No habéis oído?
¿Quién desoye mis órdenes? A batir el monte, a
correr los caminos, o rodarán vuestras cabezas.

*El grupo de los ladrones permanece inmóvil en la
encrucijada, y más al fondo, los caballos con las
sillas puestas, muerden la yerba áspera del monte.
La luna ilumina el paraje rocoso, batido por todos*

los vientos. Se oye que pasa a lo lejos la caravana
lenta y soñolienta. La Madre Silvia, desde la entra-
da de la cueva, deja oir su voz.

LA VIEJA

Hijos míos, no corráis el mundo inútilmente, que
moriríais de viejos a lo largo de los caminos sin
hallar la mano de la Princesa... La caravana pasa, y
aprovechad el bien que os depara la suerte.

EL CAPITÁN

Calla, vieja maldita, si no quieres que te clave la
lengua con mi puñal.

FERRAGUT

¡No lo permitiera yo!

SOLIMÁN

¡Ni yo!

BARBARROJA

La Madre Silvia habla en razón.

GALAOR

El Capitán ha sido hechizado por aquella mano
que cortó.

CIFER

Yo por nada del mundo me pondría uno solo de
esos anillos.

GAIFEROS

Yo, si alguno me toca en suerte al repartir el
botín, desde ahora lo renuncio.

EL CAPITÁN

¡Callad, hijos de una perra! Yo iré solo, pues de ninguno necesito. Vosotros quedad aquí esperando la soga del verdugo.

Adelanta un paso hacia el grupo de su gente, y queda mirándolos con altivo desdeño. Los ladrones esperan torvos y airados, prevenidas las manos sobre los puñales. Se oye más cerca el rumor de la caravana que cruza por el monte. El Capitán, con una gran voz llama a su caballo, monta y se aleja.

LA VIEJA

¡Aguarda un consejo!

GAIFEROS

No le llaméis, que no habrá de escucharos.

ARGILAO

Ya nunca volverá.

FERRAGUT

Desde ahora, yo seré vuestro Capitán.

BARBARROJA

Yo lo seré.

SOLIMÁN

Ved que todos pudiéramos decir lo mismo.

GALAOR

Lo echaremos a suertes.

CIFER

Que los dados lo decidan.

La Madre Silvia tiene en el suelo el paño de oro que fue mortaja de la mano blanca, y los ladrones fían su suerte a los dados, mientras, por el camino que ilumina la luna, corre un jinete en busca de la mano de la Princesa Quimera.

MILÓN DE LA ARNOYA

Una tarde, en tiempo de vendimias, se presentó en el cercado de nuestra casa una moza alta, flaca, renegrida, con el pelo fosco y los ojos ardientes, cavados en el cerco de las ojeras. Venía clamorosa y anhelando:

—¡Dadme amparo contra un rey de moros que me tiene presa! ¡Soy cautiva de un Iscariote!

Sentóse a la sombra de un carro desuncido y comenzó a recogerse la greña. Después llegóse al dornajo donde abrevaban los ganados y se lavó una herida que tenía en la sien. Serenín de Bretal, un viejo que pisaba la uva en una tinaja, se detuvo limpiándose el sudor con la mano roja del mosto:

—¡Cativos de nos! Si has menester amparo clama a la justicia. ¿Qué amparo podemos darte acá? ¡Cativos de nos!

Suplicó la mujer:

—¡Vedme cercada de llamas! ¿No hay una boca cristiana que me diga las palabras benditas que me liberten del Enemigo?

Interrogó una vieja:

—¿Tú no eres de esta tierra?

Sollozó la renegrida:

—Soy cuatro leguas arriba de Santiago. Vine a esta tierra por me poner a servir, y cuando estaba

buscando amo caí con el alma en el cautiverio de
Satanás. Fue un embrujo que me hicieron en una
manzana reineta. Vivo en pecado con un mozo que
me arrastra por las trenzas. Cautiva me tiene, que
yo nunca le quise, y sólo deseo verle muerto. ¡Cautiva me tiene con sabiduría de Satanás!

Las mujeres y los viejos se santiguaron con un
murmullo piadoso, pero los mozos relincharon como
chivos barbudos, saltando en las tinajas, sobre los
carros de la vendimia, rojos, desnudos y fuertes.
Gritó Pedro el Arnelo, de Lugar de Condes:

— ¡Jujurujú! No te dejes apalpar y hacer las cosquillas, y verás como se te vuela el Enemigo.

Resonaron las risas alegres y bárbaras. Las mozas,
un poco encendidas, bajaban la frente y mordían el
nudo de sus pañuelos. Los mozos, en lo alto de los
carros, renovaban los brincos y los aturujos, pisando
la uva. Pero de pronto cesó la fiesta. Mi abuela acababa de asomar en el patín, arrastrando su pierna
gotosa y apoyada en el brazo de Micaela la Galana.
Era Doña Dolores Saco, mi abuela materna, una señora caritativa y orgullosa, alta, seca y muy a la
antigua. La moza renegrida se volvió hacia el patín
con los brazos en alto:

— ¡Concédame su amparo, noble señora!

A mi abuela le temblaba la barbeta. Con un dejo
autoritario interrogó:

— ¿Qué amparo pides, moza?

— ¡Contra un rey de moros! Vengo escapada de la
cueva del monte, donde me tenía presa.

Micaela la Galana murmuró al oído de mi abuela:

— ¡Parece privada, Misia Dolores!

Y mi abuela levantó su lente de concha y tornó
a interrogar, mirando a la moza:

— ¿A quién llamas tú rey de moros?

—¡Rey de moros talmente, mi señora!

—Habla sin voces.

Gimió la renegrida:

—¡Me tiene cautiva con sabiduría de Satanás!

Intervino el viejo Serenín de Bretal:

—La señora quiere saber cómo se llama el mozo que te tiene en su dominio y de dónde es nativo.

La renegrida levantaba los brazos, temblorosa y ronca:

—Milón de la Arnoya. ¿Nunca tenéis oído de él? Milón de la Arnoya.

Milón de la Arnoya era un jayán perseguido por la justicia, que vivía enfoscado en el monte, robando por siembras y majadas. En casa de mi abuela, cuando los criados se juntaban al anochecido para desgranar mazorcas, siempre salía el cuento de Milón de la Arnoya. Unas veces había sido visto en alguna feria, otras por caminos, otras, como el raposo, rondando alrededor de la aldea. Y Serenín de Bretal, que tenía un rebaño de ovejas, solía contar cómo robaba los corderos en las Gándaras de Barbanza. El nombre de aquel bigardo perseguido por la justicia había puesto una sombra en todos los rostros. Solamente mi abuela tuvo una sonrisa desdeñosa:

—Ese malvado, si viene por ti, no habrá de llevarte. ¡Quedas recibida en mi casa, moza!

Se levantó un murmullo en loa de mi abuela. La renegrida dio las gracias humildemente y fue a sentarse al arrimo del patín, con la cabeza cubierta. A lo lejos resonaban las voces de la vendimia. Una larga hilera de carros venía por la calzada. Mozas descalzas y encendidas caminaban delante, animando la yunta de los bueyes dorados. Otras venían en las

tinajas, las bocas llenas de cantos y de risas, teñidas
del zumo de las uvas. Los carros entraron lentamente en el cercado. Detrás del último apareció un
mendigo en harapos. Era velludo y fuerte. La renegrida, que tenía la cabeza cubierta, se levantó como
si le hubiese adivinado. Temblaba lívida y sombría.

— ¡Perverso, ciencia de brujos te encaminó a esta
puerta! ¡No rías, boca de Satanás!

El hombre no se movió del umbral. Furtivo, tendió
la vista en torno, y volviéndola a la tierra suspiró.

—Una sed de agua para un pobre que va de camino.

La renegrida gritó:

—Ese que vos habla es Milón de la Arnoya. ¡Ahí
le tenéis! ¡De sed perezcas, como un can rabioso, Milón de la Arnoya!

Se habían acallado todas las voces. Las mujeres
miraban al mendigo llenas de curioso sobresalto y
los hombres con recelo. Algunos empuñaban las pi-
cas de acuciar las yuntas. En lo alto del patín, mi
abuela, abandonando el brazo en que se apoyaba,
habíase erguido, seca y enérgica, con la barbeta
siempre temblona. Se oyó su voz autoritaria:

—Socorred a ese hombre, y que se vaya.

Milón de la Arnoya apenas levantó la frente obs-
tinada:

—Misia Dolores, esa mujer es mi perdición. Nin-
gún mal puede contar de mí. Habla la verdad de
toda cosa, Gaitana.

La renegrida se retorció los brazos:

— ¡Arrenegado seas, tentador! ¡Arrenegado seas!

Los ojos hundidos y apagados de mi abuela se
avivaron con una llama de cólera:

—Mozos, echad a ese malvado de mi puerta.

Remigio de Bealo y Pedro el Arnelo se dirigieron a la cancela del cercado, pero el otro les contuvo hablando torvo y plañidero:

—¡Aguardad, que ya me voy! Más hermandad se ve entre los lobos que entre los hombres.

Se alejó. La renegrida, derribada en tierra, se retorcía con la boca espumante, y las vendimiadoras la rodeaban, sujetándola para que no se desgarrase las ropas. Serenín de Bretal trajo agua del pozo. Micaela la Galana bajó con un rosario, y en aquel momento oyéronse grandes voces que daba en la calzada Milón de la Arnoya. Eran unas voces como alaridos de alimaña montés, y la renegrida al oírlas se levantó en medio del corro de las mujeres, antes de que la hubiesen tocado con el rosario bendito. Espumante, ululante, mostrando entre jirones la carne convulsa, rompió por entre los carros de la vendimia y desapareció. Acudieron todos a la cancela y la vieron juntarse con Milón de la Arnoya. Después contaron que el forajido, prendiéndola de las trenzas, se la llevó arrastrando a su cueva del monte, y algunos dijeron que se habían sentido en el aire las alas de Satanás. Yo solamente vi, cuando anocheció y salió la luna, un buho sobre un ciprés.

UN EJEMPLO

Amaro era un santo ermitaño que por aquel tiempo vivía en el monte vida penitente. Cierta tarde, hallándose en oración, vio pasar a lo lejos por el camino real a un hombre todo cubierto de polvo. El santo ermitaño, como era viejo, tenía la vista cansada y no pudo reconocerle, pero su corazón le advirtió quién era aquel caminante que iba por el mundo envuelto en los oros de la puesta solar, y alzándose de la tierra corrió hacia él implorando:

—¡Maestro, deja que llegue un triste pecador!

El caminante, aun cuando iba lejos, escuchó aquellas voces y se detuvo esperando. Amaro llegó falto de aliento, y llegando, arrodillóse y le besó la orla del manto, porque su corazón le había dicho que aquel caminante era Nuestro Señor Jesucristo.

—¡Maestro, déjame ir en tu compañía!

El Señor Jesucristo sonrió:

—Amaro, una vez has venido conmigo y me abandonaste.

El santo ermitaño, sintiéndose culpable, inclinó la frente:

—¡Maestro, perdóname!

El Señor Jesucristo alzó la diestra traspasada por el clavo de la cruz:

—Perdonado estás. Sígueme.

Y continuó su ruta por el camino que parecía alargarse hasta donde el sol se ponía, y en el mismo instante sintió desfallecer su ánimo aquel santo ermitaño:

—¿Está muy lejos el lugar adonde caminas, Maestro?

—El lugar adonde camino, tanto está cerca, tanto lejos...

—¡No comprendo, Maestro!

—¿Y cómo decirte que todas las cosas, o están allí donde nunca se llega o están en el corazón?

Amaro dio un largo suspiro. Había pasado en oración la noche y temía que le faltasen fuerzas para la jornada, que comenzaba a presentir larga y penosa. El camino a cada instante se hacía más estrecho, y no pudiendo caminar unidos, el santo ermitaño iba en pos del Maestro. Era tiempo de verano, y los pájaros, ya recogidos a sus nidos, cantaban entre los ramajes, y los pastores descendían del monte trayendo por delante el hato de las ovejas. Amaro, como era viejo y poco paciente, no tardó en dolerse del polvo, de la fatiga y de la sed. El Señor Jesucristo le oía con aquella sonrisa que parece entreabrir los Cielos a los pecadores:

—Amaro, el que viene conmigo debe llevar el peso de mi cruz.

Y el santo ermitaño se disculpaba y dolía:

—Maestro, a verte tan viejo y acabado como yo, habías de quejarte asina.

El Señor Jesucristo le mostró los divinos pies que, desgarrados por las espinas del camino, sangraban en las sandalias, y siguió adelante. Amaro lanzó un suspiro de fatiga:

—¡Maestro, ya no puedo más!

Y viendo a un zagal que llegaba por medio de una gándara donde crecían amarillas retamas, sentóse a esperarle. El Señor Jesucristo se detuvo también:

—Amaro, un poco de ánimo y llegamos a la aldea.

—¡Maestro, déjame aquí! Mira que he cumplido cien años y que no puedo caminar. Aquel zagal que por allí viene tendrá cerca la majada, y le pediré que me deje pasar en ella la noche. Yo nada tengo que hacer en la aldea.

El Señor Jesucristo le miró muy severamente:

—Amaro, en la aldea una mujer endemoniada espera su curación hace años.

Calló, y en el silencio del anochecer sintiéronse unos alaridos que ponían espanto. Amaro, sobrecogido, se levantó de la piedra donde descansaba, y siguió andando tras el Señor Jesucristo. Antes de llegar a la aldea salió la luna plateando la cima de unos cipreses donde cantaba escondido aquel ruiseñor celestial que otro santo ermitaño oyó trescientos años embelesado. A lo lejos temblaba apenas el cristal de un río, que parecía llevar dormidas en su fondo las estrellas del cielo. Amaro suspiró:

—Maestro, dame licencia para descansar en este paraje.

Y otra vez contestó muy severamente el Señor Jesucristo:

—Cuenta los días que lleva sin descanso la mujer que grita en la aldea.

Con estas palabras cesó el canto del ruiseñor, y en una ráfaga de aire que se alzó de repente pasó el grito de la endemoniada y el ladrido de los perros vigilantes en las eras. Había cerrado la noche y los murciélagos volaban sobre el camino, unas veces en el claro de la luna y otras en la oscuridad de los ramajes. Algún tiempo caminaron en silencio. Estaban llegando a la aldea cuando las campanas comenzaron a tocar por sí solas, y era aquel el anuncio de que llegaba el Señor Jesucristo. Las nubes que cubrían la luna se desvanecieron y los rayos de plata al penetrar por entre los ramajes iluminaron el camino, y los pájaros que dormían en los nidos despertáronse con un cántico, y en el polvo, bajo las divinas sandalias, florecieron las rosas y los lirios, y todo el aire se llenó con su aroma. Andados muy pocos pasos, recostada a la vera del camino, hallaron a la mujer que estaba poseída del Demonio. El Señor Jesucristo se detuvo y la luz de sus ojos cayó como la gracia de un milagro sobre aquella que se retorcía en el polvo y escupía hacia el camino. Tendiéndole las manos traspasadas, le dijo:

—Mujer, levántate y vuelve a tu casa.

La mujer se levantó, y ululando, con los dedos enredados en los cabellos, corrió hacia la aldea. Viéndola desaparecer a lo largo del camino, se lamentaba el santo ermitaño:

—Maestro, ¿por qué no haberle devuelto aquí mismo la salud? ¿A qué ir más lejos?

—¡Amaro, que el milagro edifique también a los hombres sin fe que en este paraje la dejaron abandonada! Sígueme.

—¡Maestro, ten duelo de mí! ¿Por qué no haces con otro milagro que mis viejas piernas dejen de sentir cansancio?

Un momento quedó triste y pensativo el Maestro. Después murmuró:

—¡Sea!... Ve y cúrala, pues has cobrado las fuerzas.

Y el santo ermitaño, que caminaba encorvado desde luengos años, enderezóse gozoso, libre de toda fatiga:

—¡Gracias, Maestro!

Y tomándole un extremo del manto se lo besó.
Y como al inclinarse viese los divinos pies, que en-
sangrentaban el polvo donde pisaban, murmuró aver-
gonzado y enternecido:

—¡Maestro, deja que restañe tus heridas!

El Señor Jesucristo le sonrió:

—No puedo, Amaro. Debo enseñar a los hombres
que el dolor es mi ley.

Luego de estas palabras se arrodilló a un lado del
camino, y quedó en oración mientras se alejaba el
santo ermitaño. La endemoniada, enredados los dedos en los cabellos, corría ante él. Era una vieja
vestida de harapos, con los senos velludos y colgan-
tes. En la orilla del río, que parecía de plata bajo el
claro de la luna, se detuvo acezando. Dejóse caer
sobre la hierba y comenzó a retorcerse y a plañir.
El santo ermitaño no tardó en verse a su lado, y
como sentía los bríos generosos de un mancebo, in-
tentó sujetarla. Pero apenas sus manos tocaron
aquella carne de pecado le acudió una gran turbación. Miró a la endemoniada y la vio bajo la luz de
la luna, bella como una princesa y vestida de sedas
orientales, que las manos perversas desgarraban por
descubrir las blancas flores de los senos. Amaro tuvo
miedo. Volvía a sentir con el fuego juvenil de la
sangre las tentaciones de la lujuria, y lloró recordando la paz del sendero, la santa fatiga de los que
caminan por el mundo con el Señor Jesucristo. El
alma, entonces, lloró acongojada, sintiendo que la
carne se encendía. La mujer habíase desgarrado por
completo la túnica y se le mostraba desnuda. Amaro, próximo a desfallecer, miró angustiado en torno
suyo y sólo vio en la vastedad de la llanura desierta
el rescoldo de una hoguera abandonada por los pas-

tores. Entonces recordó las palabras del Maestro:
¡El dolor es mi ley!

Y arrastrándose llegó **hasta la hoguera, y fortale**-
cido escondió una mano **en la brasa,** mientras con
la otra hacía la señal de la cruz. La mujer endemoniada desapareció. Albeaba el día. El santo ermitaño
alzó la mano de la brasa, y en la palma llagada vio
nacerle una rosa y a su lado al Señor Jesucristo.

NOCHEBUENA

Era en la montaña gallega. Yo estudiaba entonces gramática latina con el señor Arcipreste de Céltigos, y vivía castigado en la rectoral. Aún me veo en el hueco de una ventana, lloroso y suspirante. Mis lágrimas caían silenciosas sobre la gramática de Nebrija, abierta encima del alféizar. Era el día de Nochebuena, y el Arcipreste habíame condenado a no cenar hasta que supiese aquella terrible conjugación: "Fero, fers, ferre, tuli, latum."

Yo, perdida toda esperanza de conseguirlo, y dispuesto al ayuno como un santo ermitaño, me distraía mirando al huerto, donde cantaba un mirlo que recorría a saltos las ramas de un nogal centenario. Las nubes, pesadas y plomizas, iban a congregarse sobre la Sierra de Céltigos en un horizonte de agua, y los pastores, dando voces a sus rebaños, bajaban presurosos por los caminos, encapuchados en sus capas de junco. El arco iris cubría el huerto, y los nogales oscuros y los mirtos verdes y húmedos parecían temblar en un rayo de anaranjada luz. Al caer la tarde, el señor Arcipreste atravesó el huerto. Andaba encorvado bajo un gran paraguas azul. Se volvió desde la cancela, y viéndome en la ventana me llamó con la mano. Yo bajé tembloroso. Él me dijo:

—¿Has aprendido eso?

—No, señor.

—¿Por qué?

—Porque es muy difícil.

El señor Arcipreste sonrió bondadoso.

—Está bien. Mañana lo aprenderás. Ahora acompáñame a la iglesia.

Me cogió de la mano para resguardarme con el paraguas, pues comenzaba a caer una ligera llovizna, y echamos camino adelante. La iglesia estaba cerca. Tenía una puerta chata de estilo románico, y, según decía el señor Arcipreste, era fundación de la Reina Doña Urraca. Entramos. Yo quedé solo en el presbiterio, y el señor Arcipreste pasó a la sacristía hablando con el monago, recomendándole que lo tuviese todo dispuesto para la misa del gallo. Poco después volvíamos a salir. Ya no llovía, y el pálido creciente de la luna comenzaba a lucir en el cielo triste e invernal. El camino estaba oscuro, era un camino de herradura, pedregoso y con grandes charcos. De largo en largo hallábamos algún rapaz aldeano que dejaba beber pacíficamente a la yunta cansada de sus bueyes. Los pastores que volvían del monte trayendo los rebaños por delante, se detenían en las revueltas y arreaban a un lado sus ovejas para dejarnos paso. Todos saludaban cristianamente:

—¡Alabado sea Dios!

—¡Alabado sea!

—Vaya muy dichoso el señor Arcipreste y la su compaña.

—¡Amén!

Cuando llegamos a la rectoral era noche cerrada. Micaela, la sobrina del señor Arcipreste, trajinaba disponiendo la cena. Nos sentamos en la cocina al amor de la lumbre. Micaela me miró sonriendo:

—¿Hoy no hay estudio, verdad?

—Hoy, no.

—Arrenegados latines, ¿verdad?

—¡Verdad!

El señor Arcipreste nos interrumpió severamente:

—¿No sabéis que el latín es la lengua de la Iglesia...?

Y cuando ya cobraba aliento el señor Arcipreste para edificarnos con una larga plática llena de ciencia teológica, sonaron bajo la ventana alegres conchas y bulliciosos panderos. Una voz cantó en las tinieblas de la noche:

> *¡Nos aquí venimos,*
> *Nos aquí llegamos,*
> *Si nos dan licencia*
> *Nos aquí cantamos!*

El señor Arcipreste les franqueó por sí mismo la puerta, y un corro de zagales invadió aquella cocina siempre hospitalaria. Venían de una aldea lejana. Al son de los panderos cantaron:

> *Falade ven baixo,*
> *Andade pasiño,*
> *Porque non desperte*
> *O noso meniño.*

> *O noso meniño,*
> *O noso Jesús,*
> *Que durme nas pallas*
> *Sen verce e sen luz.*

Callaron un momento, y entre el júbilo de las conchas y de los panderos volvieron a cantar:

> *Si non fora porque teño*
> *Esta cara de aldeán,*

Déralle catro biquiños
N'esa cara de mazán.

Vamos de aquí par'a aldea
Que xa vimos de ruar,
Está Jesús a dormir
E podémolo espertar.

Tras de haber cantado, bebieron largamente de aquel vino agrio, fresco y sano que el señor Arcipreste cosechaba, y refocilados y calientes, fuéronse haciendo sonar las conchas y los panderos. Aún oíamos el chocleo de sus madreñas en las escaleras del patín, cuando una voz entonó:

Esta casa é de pedra
O diaño ergueuna axiña,
Para que durmisen xuntos
O Alcipreste e sua sobriña.

Al oir la copla, el señor Arcipreste frunció el ceño. Micaela enderezóse colérica, y abandonando el perol donde hervía la clásica compota de manzanas, corrió a la ventana dando voces:

—¡Mal hablados!... ¡Mal enseñados!... ¡Así vos salgan al camino lobos rabiosos!

El señor Arcipreste, sin desplegar los labios, se paseaba picando un cigarro con la uña y restregando el polvo entre las palmas. Al terminar llegóse al fuego y retiró un tizón, que le sirvió de candela. Entonces fijó en mí sus ojos enfoscados bajo las cejas canas y crecidas. Yo temblé. El señor Arcipreste me dijo:

—¿Qué haces? Anda a buscar el Nebrija.

Salí suspirando. Así terminó mi Nochebuena en casa del señor Arcipreste de Céltigos. Q.E.S.G.H.

ORACIÓN

*Fue una amiga, ya muerta, quien con amoroso
cuidado reunió estos cuentos, escritos a la ventura
y en tantos sitios, para morir olvidados. Cuando
un día me los entregó, después de muchos años, yo
creí hallar en ellos el perfume ideal de sus
manos. ¡Pobres manos frías, ojalá
pudieseis ahora volver a per-
fumar estas páginas!*